一歩ふみだす勇気

挑戦する力をきみに

高橋 惇
Jun Takahashi

STB スタブロブックス

はじめに

不安や悩みを解消するきっかけを

「自分に自信がない……」
「将来やりたいことが見つからない……」
「勉強や部活がうまくいかない……」
「友だちとの関係が大変で……」
「生きていて、楽しくない……」

日本全国6000人の子どもたちから聞いた言葉です。

ぼくは、全国各地の学校で、生徒や児童のみなさんからさまざまな声を聞いてきました。この本を手に取ったあなたも、（将来への）不安や（今の生活での）

悩みを抱えているかもしれません。

この本は、そんなみなさんのためにつくりました。「一歩ふみだす勇気」というキーワードのもと、**不安や悩みを解消するきっかけ**をお届けします。

〝のび太君〟が、一歩ふみだした実話

あらためまして、本書を手に取っていただき、ありがとうございます。

この本を書いた高橋惇《じゅん》と申します。ニックネームは「じゅんちゃん」です。

最初にお伝えしておくと、ぼくはしっかりした人間ではありません。まるで〝のび太君〟のような人間です。

メガネをかけていて、おっちょこちょいで、野球が好きで、おやつが好きで、昼寝と二度寝が好きで、のんびり生きています。〝出木杉君〟のように、何もかも器用にこなすタイプではありません。

そんなぼくが、「一歩ふみだす勇気」を、みなさんに届ける本を書きました。

「え……そんなのんびりした人が、勇気をくれる本なんて書けるの？」

そう思われたかもしれませんが、ご安心ください。

なぜなら、一歩ふみだすことの大切さを誰よりも知っているからです。**つまり、実際に一歩ふみだし続けたおかげで、良い人生を送ることができている**からです。

「一歩ふみだしたら、どんないいことが起きるの？」

その答えは、つぎの３つです。

---

①宝物をゲットできる

②ミラクル体験が起きる

③ 夢が実現できる

「どんな宝物？」
「どんなミラクル？」
「夢って本当にかなうの？」

詳しいことはこの本にまとめているので、楽しみにしておいてくださいね。根拠となるエピソード――すべて実際にあった話です――がたくさん載っていますから。

事前に少しだけ自己紹介をしますと……ぼくは元々、お笑い芸人をしていました。

しかし、25歳のときに、挫折しました。理由は簡単です。未熟だったからです。未熟だから夢をかなえられませんでしたし、そもそも自分の夢をきちんと理解していませんでした。

お笑い芸人を辞めた日、未熟な自分を変えたいと思いました。そこで、**未熟な自分を成長させて、夢を実現する方法**を考えてみたのです。せっかくなら、常識の枠を超えて、誰もやったことのないことに挑戦してみようと思いました。

半年間考えた結果、**「旅する先生」として自転車で日本一周しながら全国の学校で講演するアイデア**にたどり着いたのです。

日本一周で得た学びを届ける、「旅する先生」

「そんなことが果たして本当にできるの……？」

スタート前、不安が押し寄せてきました。そんなことをした人は日本でほかにいなかったからです。

しかし、勇気を出して一歩ふみだし、出発しました。挑戦の旅のスタートです。

旅を始めてみると、多くの人に出会うことや旅そのものでの経験から、**生きて**

いくうえでの大切なことを数多く学びました。学びの中には教科書に載っていないものもあり、**かけがえのない宝物**になっています。

そんな宝物である「学び」を子どもたちにお伝えするために、日本一周中に全国の学校へ訪問し、講演会や出前授業を開催しました。

474日間の日本一周のあいだに小学校24校、中学校15校、高校18校、大学5校にて、未来あるみなさんに惜しみなく宝物をお届けしていったのです。

全国の小中高校生に、届け

子どもたちからいただいた感想文は約6000通。そのすべてに目を通しながら、2つのことを思いました。

「不安や悩みを抱える子どもたちを少しでも**前向きな気持ちにしてあげたい**」

「全国には約650万人の中高生がいる。まだ出会っていないみなさんにも、ぼくの経験談を通して、**一歩ふみだす勇気を届けたい**」

……だからこそ、この本をつくりました。

第1部では、「全国の学校で話してきた講演の内容」を、そして第2部では「自転車日本一周で学んだこと」を中心にまとめています。この本でも、旅で学んだ宝物をお届けできたらなと思います。

とくに読んでほしいのは中高生のみなさんです。

中学校と高校の6年間は、ひとつのきっかけで心が大きく成長し、考えも深まっていく絶好の期間だからです。この6年間は「**ゴールデンタイム**」だと言えます。

ゴールデンタイムに本書に目を通していただき、**やってみたいことに思い切って一歩ふみだし、可能性を広げてもらえたら嬉しい**です。

小学生のみなさんにとっても、この本はきっと楽しめる一冊になるはずです。難しい漢字もあるとは思いますが、少し背伸びして読んでほしいです。

〝のび太君〟のようなぼくが経験値と知恵を貯め、人との出会いに恵まれ、失敗しても最後は望みをかなえてきたのは、すべては勇気をもって〝一歩ふみだした〟

から。

この本を通じて、みなさんにも「一歩ふみだす勇気」を届けます。

本書に出てくる言葉がヒントとなり、みなさんの不安や悩みをやわらげ、一歩ふみだす勇気をゲットするきっかけになれば、とても嬉しいです。


最後に、クイズです。


誰ひとり笑顔にできないまま挫折していった元お笑い芸人は、一歩ふみだすことで、何人を笑顔にできたでしょう？

（答えは本書の最後にあります）

第1部

第2部 自転車日本一周での学び　83

第3部　「イドミィ」という、つぎなる物語　213

装　丁　山田知子（chichols）
イラスト　鈴木勇介
本文デザイン・DTP　梅里珠美（北路社）
校　正　株式会社ぷれす

第1部

講演会
「一歩ふみだす勇気をきみに」

〝のび太君〟のようなぼくが、なぜ自転車日本一周の旅に挑戦し、どんな学びを得たのか。

第1部では、旅の終盤に開かれた『中学生・高校生向け講演会』の内容をもとにしながら、「一歩ふみだす勇気」をあなたに届けます。

大丈夫、いっしょに旅に出よう――。

不安や悩みをやわらげるお手伝いを

みなさん、こんにちは。高橋惇といいます。ニックネームは、「じゅんちゃん」です。

ぼくは、26歳（講演当時）の旅する先生です。

「旅する先生」とは、いったい、どんな人だと思いますか？

答えを言うと、自転車で日本一周しながら、全国の学校で話をする先生です。

今まさに、人生2度目の自転車日本一周の真っただ中です。

60キロの荷物を積んだ自転車で広島県を出発し、毎日こつこつ進んで、この学校までやって来ました。

今日は、旅を通して学んだことを話しながら、**「今の不安や悩みをやわらげるヒント」**や**「充実した学校生活を送るためのヒント」**をお伝えしていけたらと思います。

テーマは――〝一歩ふみだす〟です。

可能性は無限大

最初に、ひとつ質問です。

「将来、こんなことやってみたいなぁ」

「こんな職業に就いてみたいなぁ」

という夢は、ありますか。なんとなくでも「将来やってみたいことがあるよ」という方、手をあげてみてください。続いて「まだないよ」という方、手をあげてみてください。

……ありがとうございます。どちらも半分くらいでしょうか。

まだないよ、という方、焦る必要はありません。**今から何でもめざせるので、可能性は無限大**だからです。

テーマの〝一歩ふみだす〟は、夢がある人にとっても、今はまだないという人にとってもキーワードになります。それでは話に入ります。

〝夢の小さな種〟の発見

小学4年生のときのことです。

友だちと自転車に乗って公園に向かっていました。友だちの自転車には方角がわかるコンパスが付いていて、「Nが向いているほうが北なんだよ」と教えてくれました。

そのとき、思ったのです。

「Nの方向にひたすら進んだら、北海道に行けるんじゃない？」

そこで友だちとNの方向に進むことにしました。

2時間ほどこぎ続けたでしょうか。当時の感覚としては、10時間くらい進んでいたので、岩手県くらいまで行った気分でした。

……ぼくたちは、見たことがない町に到着したのです。お店も、駅も、小学校も、初めて見るものばかりで、なんだか歩いている人も別の世界の人たちのように感じました。

そのとき、**自分の住んでいる世界の外側にも、別の世界が広がっている**ことを初めて知りました。

その日は、日が暮れる前に家に帰ることにしました。Uターンし、今度はSの方向に進みはじめます。

「時間がもっとあったら北海道まで行けたかもね！」

「いつかやってみたいね。日本全国、行ってみようよ！」

「うん、自転車で日本一周だ！」

友だちと笑いあいました。全国各地で自然に触れて、観光して、おいしいものを食べて……と想像すると心が高ぶり、ワクワクしてきたのを覚えています。

今思い返すと、あのとき、自転車で日本一周してみたいという気持ちが芽生えた気がします。**自転車で走る経験を〝やってみた〟ことによって、〝夢の小さな種〟が生まれた**のです。

否定されても、夢は捨てない

　その後、ぼくは中学生になりました。ある授業で先生に質問されました。

「夢は何ですか？」

……うーん、将来やりたいこと、何かあったっけ？　すぐには答えられませんでした。勉強や部活などの目の前のことで頭がいっぱいで、将来を思い描く余裕がなかったのです。

「あっ！」

　そのとき、〝夢の小さな種〟を思い出しました。

「先生、自転車で日本一周してみたい！」

　すると先生から、ひらがな3文字が返ってきました。

「ばかか」

　夢は鼻で笑われ、否定されてしまいました。ぜったい楽しいはずなのに……と少し悔しかったです。

ただ、**認めてもらえなくても思いはぶれませんでした。いつかチャンスがきたらやろう、と夢の小さな種は捨てなかった**のです。

その先生に「夢は職業の中から選びなさい」と言われたので、2つの職業を答えました。

1つは、「学校の先生」。悩んでいるときに先生がやさしく相談にのってくれたことが嬉しかったので、悩んでいる子どもたちを勇気づけ、笑顔にできる先生になりたいとあこがれました。

とくに、俳句をつくる授業で「じゅんちゃんは良いセンスしてるなぁ。将来国語の先生になったらいいと思うよ」と言われたことが心に残っていたので、国語の教師になりたいと思いました。先生のこのひと言もまた、〝夢の小さな種〟を生んでくれたのです。

もう1つは、「お笑い芸人」。自分が悩んでいたときもたくさん笑わせてもらっていたので、日本中の人たちを笑顔にできるすばらしい職業だと思っていました。同時に、芸人になってキャーキャー言われたいとも思っていました。自分もやってみたいと思い、休憩時間に友だちと漫才をしていました。楽しませることや笑わせることが好きだったのです。

そこで調べてみると、お笑い芸人になるには免許はいらないけれど、学校の先生になるには免許が必要とわかりました。

教員免許を取るためには大学で勉強しなければなりません。そこで毎日こつこつ勉強して高校に進学し、さらに毎日こつこつ勉強に励んで大学に進みました。とくに大学受験は挑戦でしたが、E判定からの逆転で神戸大学に合格できたのです。結果を見たとき、こつこつ取り組んでよかったと心から思いました。

……しかし、ここで1つ目のおっちょこちょいが発生します。

進学した大学の学部では興味のあった心理学の勉強はできましたが、国語の教員免許は取れないことが判明したのです。なんということでしょう……。そこで他の学部にも通って免許の取得をめざしました。

大学には固定の時間割がないので、自分が好きなようにカリキュラムを組めます。ぼくは2つの学部で並行して学んでいたので大変でしたが、時間割を目いっぱい埋めて勉強した結果、4年間分の授業を3年間で終わらせることができました。

1年間の自由な時間が生まれたのです。

チャンスはひっそりと訪れる

同級生の中には就職活動をしたり、大学院の試験に向けて勉強したりする友だちもいました。この1年どうしよう……と悩んでいたのですが、ある日、ハッとひらめいたのです。

「お笑い芸人の養成所に行こう！」

大学を卒業してすぐ先生になる道も考えましたが、いろいろ経験してからのほうが味のある先生になれそうだ、と思ったのでやめました。というのも高校時代に好きだった先生が社会人経験のある方で、「いろいろな職業を経験するのもひとつの人生だぞ」と教えてくれたことが頭に残っていたのです。

あこがれている先生の背中を追うように、いろいろ経験してみようと決めました。

さまざまな職業の中でとくに興味があったのは、やはりお笑い芸人でした。そこでお笑い芸人の養成所に行ってみようと思ったのです。

どうやったら入所できるのかわからなかったので調べてみました。すると、入所金が40万円かかることが判明しました。

当時パン屋でパンをこねるアルバイトをしていましたが、いったい何個のパンをこねたら40万円貯まるんだ……と嘆きました。

そんなある日、お店でひとり、晩ごはんを食べていたときのことです。

ぼくには癖があって、ごはんを食べているときに「おいしい」と声に出してしまうのです。その日もコロッケを食べて「おいしい！」、サラダを食べて「おいしい！」、水を飲んで「おいしい！」と無意識に言っていました。

すると、横にいたおじさんから「きみ、おいしそうにごはん食べるね」と声をかけられました。

すみません、と照れ笑いを浮かべながら返事をしたら、おじさんはにこっと笑って、

「よかったら、うちでアルバイトしない？」とおっしゃいます。話をうかがうと、パソコン教室を経営しているとのことでした。突然の提案に驚きました。

「大丈夫、きみは感じがいいから、生徒さんも歓迎してくれると思うよ」

さらにうかがうと、「20人のやさしくて真面目な生徒がいる」とのことでした。

「時給は、そうだな、1500円出すよ」

高額に飛び上がる思いで、「明日から行きます！」と即答しました。

翌日、いただいた地図を片手に教室にたどり着き、ドアを開けました。

すると、20人のやさしくて真面目そうな、70歳以上のおじいちゃんたちが座っていました。なんと生徒さんは全員、おじいちゃんだったのです……！

はげしく動揺しましたが、**「これも何かのご縁だし！」と前向きにとらえて**アルバイトを始めました。

生徒さんたちは、電源のオンとオフをコンセントの抜き差しでやってしまったり、手が震えてうまくダブルクリックができなかったりと前途多難ではありましたが、みなさん意欲的だったのでお互い楽しみながら学ぶことができました。

……月日は流れ、40万円を貯めることに成功しました。

しかし、いざお金を手にすると使うのがもったいなく思えてきます。

「本当にやりたいことはなんだろう……」

せっかくの1年間の時間と貯めたお金です。使い道をあらためて考え直しました。

悩んだ結果、

「そうだ、自転車日本一周だ！」

またもや、心の奥にあった〝夢の小さな種〟を思い出したのです。

今、本当にやりたいことは日本一周だ。今の自分には、1年間の自由な時間と40万円がある――そう考えると、夢だった自転車日本一周がにわかに現実味を帯び、本当に実現できる気がしてきました。**夢をかなえるチャンスが、気づかぬうちにひっそりと訪れていた**のです。

このチャンス、つかむしかない！　考えれば考えるほどワクワクしてきます。

小学生のころに感じた高揚感が胸いっぱいに広がりました。

今しかできないことは、今しかできない

自分の思いにしたがった結果、自転車日本一周を実行しようと決めました。

それも「旅する芸人」と名乗って路上ライブをしながら日本一周したら、お笑い芸人の夢をかなえる修行にもなるのではと考えたのです。

しかし、目標に向かって準備を始めると不安が押し寄せてきます。

……じつは、自転車での旅も野宿も、何もかも経験がなかったからです。

なんとかなる！　と強がっていましたが、友だちからはひらがな3文字が返ってきます。

「ばかか」

そんなの無理だ、死んだらどうするんだ、と否定されるうちに無理な気がしてきました。やっぱりやめようか……と迷いも生じてきました。やめたら今までどおりの生活をくり返すだけなので〝楽〟だからです。

そんなとき、大学の先輩がある言葉を教えてくれました。

「じゅんちゃん、**今しかできないことは、今しかできないんだよ**」

将来おじさんになって、「あのときやっとけばよかった」と後悔するのはつらいことだよ、とも言っていました。たしかに、そうだなと思いました。

思えば、これまでも後悔をたくさんしてきました。

部活で最後の夏に負けたとき、「練習をもっと一生懸命やっとけばよかったな……」と悔いました。テストで失敗したときも、「もっと勉強しとけばよかったな……」と悔いました。

「もう後悔したくない！　だから、今しかできないことをしよう！」

「楽《らく》さ」よりも「楽《たの》しさ」を選択

否定されたくらいであきらめることはないと気づいたので、一歩ふみだして自転車日本一周に挑戦しようと決めました。

「楽《らく》さ」よりも、「楽《たの》しさ」を選んだのです。

荷物をまとめ、ひとり暮らしのマンションを解約し、アルバイトを辞めました。

自転車を持っていなかったので買うことにしました。「40万円で日本一周するので、自転車をつくってください」と言ったつもりが、数日後には〝40万円の自転車〟が完成していました。2つ目のおっちょこちょいの発生です……。

割り引きしていただいて、わずかなお金とともに日本一周をスタートしました。

2011年4月29日のことです。

くじけそうなときにひらめいたアイデア

スタートして3日後、お金がなくなりました。

おなかが空いたらごはんを食べ、のどが渇いたらジュースを飲んでいたので当然の結果です。

日本一周を断念することも考えましたが、プライドが高かったのでやめられませんでした。大学の友だちに自慢してスタートしていた手前、今さら恥ずかしくて戻れなかったのです。

ベンチに座って頭を悩ませていたとき、ふと視線を上げると、1枚のポスターが貼ってありました。プロゴルファーがポーズをきめていて、ウエアには社名が記されたワッペンがついています。それを目にした瞬間、ひらめきました。

「……スポンサーだ！」

日本一周を続けながら会社の宣伝をする代わりに、旅の資金を提供してもらえる会社を探そうと思ったのです。でも、知り合いに社長さんなんていたかなあ……。

ご縁を大切にすると、ミラクルが！

「そうだ！　パソコン教室のおじさんだ！」

ひらめいたぼくは進んできた道を戻り、パソコン教室のドアを開けました。

「日本一周のスポンサーになってくれませんか？」

するとパソコン教室のおじさんは、

「じゅんちゃんにはお世話になったし、いいよ！」

と1万円をくれました。

「救われました……。ありがとうございます！」

これで再スタートできると思い、教室から出ようとしたらおじさんが言うのです。

「あれ、じゅんちゃん、もしかして知らなかったの？」

なんと、そこにいた20人の生徒さんたちは全員、元社長さんだったのです！

私も、私も、と結局9万円が集まりました。

「応援しているよ！」

「がんばれ高橋くん！」

涙でほほを濡らしながら、みなさんに心から感謝しました。そして、**どこで誰に救われるかわからない**と学びました。

あらためて思い返すと、ごはん屋さんでコロッケを食べて「おいしい！　おいしい！」と言っていたのがきっかけでおじさんに声をかけられ、パソコン教室でアルバイトをすることになっておじいちゃんの生徒さんたちと出会い、動揺したものの「何かのご縁だし」と前向きにとらえて継続したことで、今日のミラクル体験に至ったのです。「おいしい！」が9万円に変身しました。

だからこそ、**目の前の人との出会いを大切にしよう**、と思いました。

なんとかならなかった

再スタートしてから1週間が経ち、兵庫県から岡山県へと移動しました。まだ47都道府県のうち、2県しか進んでいないのに、また日本一周をやめたくなりました。なぜなら、良いことが何もなかったからです。まったくといっていいほど、〝なんとかならなかった〟のです。

たとえば、40万円の自転車は不安定で乗りにくく、すぐパンクします。公園の水道を使って洗濯をしていたら管理人のおじさんに怒られます。いきなり雨が降ってきたときには体も荷物もびしょ濡れです。野宿をすると、犬の散歩をしているおばさんの足音がするだけで心臓がバクバクして眠れません。

要するに、楽しくなかったのです。

そこで決めました。やっぱり、今日で日本一周、やーめよっ！　と。

プライドよりもしんどさのほうが大きくなり、投げやりになっていました。このときは目の前のことで頭がいっぱいで、パソコン教室のみなさんへの感謝の気持ちはすっかり忘れてしまっていたのです。

最終日と決めたら気持ちが軽くなってきます。すると神社が見えたので、ここまで無事故で来られたお礼を言おう、と自転車を停め、鳥居をくぐると、会社の制服を着たお姉さんがいました。

「おはようございます」とあいさつされたので、「おはようございます」と返事をしました。

お姉さんは小汚い格好をしているぼくを見て気が気でなかったのでしょうか、手づくりのパンをくれました。人から食べ物をいただくのは初めての経験だったので、とっても嬉しかったです。

パンを食べながら、自己紹介に加えて「自転車日本一周を始めたんですが、やめたいと思っているんです……」と打ち明けました。

「話を聞くから、もし泊まる場所がなかったらわたしの実家においでね」

お姉さんは地図と連絡先を書いた紙をくれたのです。

その晩、突然の大雨により、野宿ができなくなりました。そこで申し訳ないと思いながらもお姉さんに甘えようと決め、電話をしてからご実家に向かいました。ご家族にごあいさつしたあと、お姉さんは笑顔で迎えてくれて、お風呂に入らせてもらい、ごはんもふるまってくれました。

するとお姉さんから、「真面目で、やさしい女の子の親友がいるから、その子も呼んでお話ししましょう」と提案されました。

数分後――。ピンポーンとチャイムを鳴らしてやって来たのは、真面目で、やさしそうなカンボジア人のお姉さんでした。

カンボジア人のお姉さんの、おにぎりと勇気

カンボジア人のお姉さんに、来日のきっかけをたずねました。

彼女の地元には学校がなかったそうですが、日本人が無償で校舎を建設し、教科書や文房具も配ってくれたというのです。

「ワタシは勉強できたことが嬉しかったので、その恩返しのために日本に来まし

た。だから、ジュンチャンにも、恩返しをしたいです」

いや、でも、ぼくがカンボジアに学校を建てたわけでもないし……とお伝えすると、彼女は瞳を輝かせながら言いました。

「目の前の困っている人を助けることが、自分を助けてくれた人への恩返しなんです」


翌朝、出発の準備をしていると、ピンポーンとチャイムが鳴りました。

ドアの向こうにいたのは、カンボジア人のお姉さんでした。

「ジュンチャン、おはようございます」

両手を後ろにして、なんだかモジモジしています。

「ワタシ、ジュンチャンのために、おにぎりをつくりました」

差し出された紙袋には、おにぎりが4つ入っていました。

「生まれて初めてつくったから、うまくできなくて……」

たしかにいびつなかたちをしていたし、その場で食べてみたら塩の濃い部分と薄い部分に分かれていました。

でも、そのおにぎりをほおばりながら感動しました。

「恩返しする」と口にするのは簡単ですが、実際に行動に移すのはなかなかできることではありません。彼女は早起きして、四苦八苦しながら人生初のおにぎりをにぎってくれました。**その行動力を見習おう**、と思いました。

ぼくは、彼女のおかげで日本一周の旅を続けることを決めました。**「恩返しがしたい」という気持ちをかたちにするには、途中で投げ出さず、行動し続けるしかない**と思ったからです。

日本一周をやり抜く勇気がわき、勢いよく出発しました。なんだか空が広く見え、旅が楽しみになってきました。

……ところがその晩、ぼくは病院に運ばれました。原因不明の腹痛に襲われたのです。

おっちょこちょいのぼくは実家に強制送還され、10日間の休養をするはめになりました。とほほ、です。

かっこつけず、「毎日こつこつマイペース」

まさかの強制休養を余儀なくされた10日間でしたが、反省する良い機会になりました。

今の自分がうまくいっていない理由を、布団の中で考えました。

その結果、2つの問題点に気づきました。

1つは、「かっこつけすぎ」ということです。自分がうまくいっていないのをばれないようにするのに必死で、他人の目を気にしすぎていました。これからは自らの未熟さを受け入れて、自分のペースで進んでいこうと決めました。

そこで**「毎日こつこつマイペース」**というルールをつくりました。ここでいう〝マイペース〟とは、**他人と比べず、今の自分にできる〝100%〟のペースで進む**ということ。

99%だと手を抜いていることになるし、101%だと無理が生じてしまいます。

今までの自分はかっこつけすぎで、100%以上を見せようとしていました。だからこそ、毎日その時々の自分にできる100%で進もうと決めたのです。

もう1つは、「お世話になった人への感謝の気持ちを忘れている」ということです。そこで嬉しかったことを忘れないだけでなく、その応用として、**「人にされて嬉しかったことは、人にもする」**というルールもつくりました。

旅の再開で得た「経験値」と「知恵」

再出発後は「毎日こつこつマイペース」に進んでいきました。

そうして1日1日を「継続」していくうちに「経験値」がアップし、旅することに慣れていきます。

すると余裕が出てきて視野が広がり、なんでやめたいと思ったんだろう、と感じるほどに日々が充実してきました。

野宿についてもそうです。**経験値を活かしていくと、先日の失敗を繰り返さないためにはこうしたらいいいんじゃないかな？　と工夫する力（知恵）が生まれ、**より快適に旅を続けられるようになりました。

応援してくれる人も次第に増えていきました。

車から声援を送ってくれたり、スーパーの前で休憩していたらおじさんが差し入れをくださったり、ラーメン屋さんのご夫婦が宿泊させてくださったりと、人のやさしさやぬくもりに触れる場面が多くなりました。どんどん、夢がひとりのものではなくなっていきます。

ぼくはそのたびに、カンボジア人のお姉さんのように、**恩返ししたいという気持ちを抱くだけでなく、行動に移そう**、と思いました。

遺された人の役目

ここで質問です。

旅をしていた2011年は大きな出来事があった年ですが、ご存じですか?

……そうです、東日本大震災です。

あまりに悲惨なニュースを見るたびに、自分ひとりが現地に行ったとしてもできることは何もないと決めつけていました。だからスーッと通り抜けようと決めていました。

岩手県に入り、海沿いの道を進んでいると、突然、見渡す限り建物がない場所にたどり着きました。

「ここはとても高い津波がきたんだ」と、海を眺めていたおじさんが教えてくれました。

そこに立っているだけで震えと冷や汗が止まりません。心の底から熱いものがわきあがってきて、自分に何ができるのかはわからないけど、とにかく力になりたい、と思いました。

そこで行動に移しました。ボランティアセンターに向かい、「何かお手伝いをさせてください」と伝えたのです。全国から集まったボランティアのみなさんは笑顔で歓迎してくれました。

がれき撤去や土砂の清掃といった力仕事、あるいは避難所や仮設住宅で話し相手になって心のケアをするといったボランティアもやりました。子どもたちの遊び相手になったり、紙芝居を読んだりもしました。

とある仮設住宅で出会ったおじいちゃんに自転車で日本一周していると伝えたら、「ぜひ息子に会ってほしいな！」とおっしゃったのでお宅にうかがいました。

「おもしろいお客さんが来たよ」

案内された先には仏壇がありました。息子さんの写真が飾られています。

「遺された人は、一生懸命、生きなきゃいけないんだ」

涙ながらに語られたおじいちゃんの言葉が強く胸に響きました。

3日間だけお手伝いをしようと思っていましたが、結局3か月間ボランティア活動をして、関東地方へと南下しました。

その後、関東からさらに東海、近畿、四国、九州と回り、日本一周を達成しました（沖縄県へは、沖縄行きの飛行機の往復チケットをゲットするラッキーが起きたので飛行機で渡り、沖縄本島をぐるっと一周しました）。

ワクワクする場所に寄り道をしながら……

さて、ここで「じゅんちゃんクイズ」の時間がやってきました。

まず1問目。日本一周は、果たして、何か月で達成したでしょうか？

①6か月　②9か月　③12か月

続いて2問目。日本一周は、果たして、何キロメートル進んで達成したでしょうか？

①3000キロ　②6000キロ　③9000キロ

正解は……どちらも③です！　ただし、ひと言付け加えます。

旅の途中に約30人の自転車旅人に出会いましたが、2か月で日本一周を達成した人もいました。ぼくはワクワクする場所に寄り道するのが好きなので、約1年もかかってしまいました。

距離についても同じです。最短6000キロで達成できるようですが、寄り道のオンパレードだったので約9000キロでゴールしました。

「毎日こつこつマイペース」が目標達成の近道

約9000キロ——。

これはまっすぐ東に進んだら、日本からアメリカのロサンゼルスにたどり着ける距離です。

ひと息に走り抜けたわけではもちろんありません。「毎日こつこつマイペース」で進んでいきました。

たとえば1週間後の目的地を決め、毎朝、今日はここまで進もう、と決めてスタートします。つぎの朝も、そのつぎの朝も、今日はここまで、と目標を決めて走りはじめます。

達成できたら、「よくがんばった。えらい！」と**自分で自分をほめます**。

人と比べたわけではない、自分の決めた100％のペースを、こつこつ続けていったのです。

「毎日こつこつマイペース」が、目標達成の近道だなと思いました。部活も勉強も、毎日こつこつマイペースに継続することが大切です。

一歩ふみだして得た「3つの宝物」

ゴールしたとき、心から実感しました。

「一歩ふみだして、よかったー！」

なぜなら、おかげで「3つの宝物」をゲットしたからです。

一歩ふみだしたことでゲットした3つの宝物とは、何だと思いますか？

1つ目は、**「人との出会い」**です。

おっちょこちょいで失敗したときに救ってくれたのも、悩んだときにアドバイスをくれたのも、夢を応援してくれたのも、すべて出会った人たちでした。**人ほどあたたかみのあるものはない**、と思いました。

2000人ほどの友だちにも恵まれ（ありがたいことに、すべての都道府県に友だちがいます）、同時に約2000人の先生もできました。**出会った人は全員、自分にとっての〝先生〟**だからです。

たとえば、元気いっぱいにあいさつしてくれた人がいて、とても気持ちがよくなりました。実体験として、元気よくあいさつされると嬉しい、と教えてもらったのです。

逆にいじわるや無視をされたとき、とてもいやな気持ちになりました。以前はいらいらしたりショックを受けたりしていたのですが、この人は**〝人にされたらいやなこと〟を教えてくれた**んだと前向きにとらえるように切り替えました。

人間関係で悩んでいるときにも、このように考えると**寛容さが生まれ、すべての出会いが宝物に思える**のです。

2つ目の宝物は、**「経験値」**です。

わかりやすくいうと、**〝実際にやってみてわかったこと〟**です。

自転車での旅も、野宿も、最初はぜんぶ未経験でしたが、毎日こつこつ経験するうちに、「うまくいかない理由ってこういうことなんだ！」と経験値が増え、少しずつできるようになっていきました。

経験値をゲットするには、実際にやってみるしかありません。一歩ふみだしてみると、失敗することもありますが、失敗しても経験値をゲットできます。

ぼくはこのことに気づいてから、失敗がこわくなくなりました。**失敗しても、〝何もしない〟より得られるものがはるかに多い**のです。そう考えると、経験値はかけがえのない宝物です。

そして、その経験値を活かすのが、３つ目の宝物である「**知恵**」です。わかりやすくいうと、**〝工夫する力〟**です。

子どもたちから、「どうしてそんなにいろんな人とコミュニケーションをとれるんですか？」と質問されることが多いのですが、初めから誰とでも話ができたわけではありません。

最初は、相手にいやな思いをさせたらどうしよう……と考えすぎてしまい、人見知りをしていました。

しかし、旅をしていると慣れ親しんだ土地から離れるため、初対面の人と出会う機会が増えていきます。初めはうまく話せなくて失敗したけれど、経験が増えていくにしたがって、この場面はこうしたらいいのでは？　と工夫できるようになったのです。

この〝**こうしたらいいのでは？**〟**という自分なりの工夫が知恵**です。

おかげさまで、今では赤ちゃんからご高齢の方まで、幅広い人たちとコミュニケーションが図れるようになりました。知恵もまた、かけがえのない宝物です。

そして、**「3つの宝物」が集まると**〝**ミラクル体験**〟**が起きる**のです。

旅のあいだ、プチミラクルからビッグミラクルまで信じられない出来事を数多く経験しました。とくに印象的なビッグミラクルが徳島県で起きました。

徳島県でのビッグミラクル

2月の、風が強くて寒い日でした。

まちがオレンジ色に染まるころ、目の前に橋が見えました。今日はあの橋の下で野宿かなぁ……と思っていると、横を通りすぎた車が突然、停まりました。

窓が開き、ぼくの母親と同じくらいの年齢の女性がこちらを向いています。

「お兄ちゃん、何やってるの？」

「日本一周してます」

「今日はどこに泊まるの？」

「あの橋の下に……」

「じゃあ、うちに泊まる？　ついてきて！」

言うなりビューンと行ってしまいます。

ぜぇぜぇ言いながらついていき、家に到着するとお母さんは言いました。

「あっ、待って〜！」

「1つだけ、ルールをつくろう」

次男の部屋で寝てほしい、というのです。

「わかりました！」と元気よくあいさつし、家の中におじゃましました。

リビングにあがり、長男君、三男君といっしょにコタツで話をしていても、次男君は出てきません。

しばらくして、お母さんから「あの部屋に入って」と言われ、そのドアを開けました。

「おじゃましまーす！」

すると部屋はほこりっぽく、カーテンが閉まっていて暗い中、無表情でゲームをしている子がいました。

なるほど、と思いました。

「こんにちは！」と声をかけると、無視。

「名前、何ていうの？」と聞いても、無視。

どうしたものか……、と思っていたら、ぼそりと返事がありました。

「うるさいねん……。かまってくんなや……」

ここであきらめたらだめだと思い、サッカーのテレビゲームをしている彼の横に座り、画面に向かって「ナイスパス！」「いいね、うまいね！」「つぎも勝ってね！」と声をかけ続けました。自分なりに工夫してみたのです。

ひと晩経って、朝起きると、彼はゲームをしていました。

「ゲーム、好きなんだね！」と話しかけたりしていたら、もう出発の時間が迫ってきました。

これでお別れはいやだな……と思いながら部屋を出ようとしたとき、パッと視線を向けた先にサッカーボールが置いてあるのに気づきました。

そこで、彼に声をかけてみたのです。

「本物のサッカーしようぜ！」

何か恩返しがしたいと思い、提案してみたのです。

すると、彼はゲームの電源を消し、

「しゃあなしやからな……」

と重い腰を上げてくれました。

その後、彼と外に出て、ボールを蹴りあいました。その様子を見て、お母さんは目を真っ赤にしていました。

お母さんがおっしゃるには、彼はおよそ1年ぶりに外で遊んだとのことでした。

別れ際に、彼に連絡先を教えました。

「ツイッターやブログで旅の写真を公開してるから。部屋の中にいてもいいけど、それ見て、外の世界を味わってほしいな」と伝えて出発しました。

そこから1か月後、日本一周ゴールの日――。

ツイッターに「今夜20時にゴールします」と書き込んで出発し、予定どおりの時刻にゴールを達成しました。

一歩ふみだして良かった〜　と思っていたときのことです。1通のメッセージが届きました。

「よくやったな」

徳島の彼からでした。旅の様子を見てくれていたのです。彼のことを思い、本当に嬉しかったです。

調子に乗って、大挫折

日本一周を終えた2日後に大学を卒業し、国語の教員免許を取得しました。旅で学んだことを活かして、さあこれからどんな道に進もうか、という大事な時期に、大失敗をしてしまいました。

ここから先は、真似してはいけません。転落人生のスタートです。

どんな大失敗をしてしまったかというと、調子に乗ってしまったのです。

その結果、のぼせてしまい、せっかく旅で学んだことをすべて忘れてしまいました。

友だちから「日本一周、すごいね！」と言われるたびに、本当はいろいろな方々の支えがあったからこそ達成できたのに、まるで自分ひとりの力で成し遂げたかのように勘違いしてしまったのです。その結果、鼻が伸びていきました。

キャーキャー言われるたびに天狗の度合いを強めていったぼくは、お笑い芸人をめざして勢い込んで東京に行きました。そしてご縁のあったさまざまな場所で働かせていただきました。

「どの職業でもそうだけど、その職業で一流になるには、まず社会人として一流にならなきゃいけないよ」という旅先で出会ったおじさんの言葉が頭に残っていたからです。まずは社会を知ろうと思いました。

東京での日々は、つらく厳しいものでした。

調子にのっていたぼくは「あいさつ」「礼儀」「気配り」といった社会の基本がまったくできなかったからです。そのため、「自分ができているつもりでも、相手に伝わらなかったら意味がないんだよ！」と、とにかく叱られました。

天狗の鼻はボキボキに折れていきます。叱ってくれた方々は、欠点を修正すべく注意してくださったのでしょうが、当時はその意図がわかっていませんでした。だから、叱られるたびにどうしたらいいのかわからなくなっていきます。自分で答えを見出せなければ素直に聞けばいいのですが、また叱られるんじゃないかと思うとこわくなり、相談すらできません。

社会とは、**相手（たとえばお客さん）の期待に応えるだけではなく、期待以上のことを用意して喜ばせる場所**だとわかりました。

相手を喜ばせられないと、お金を支払ってもらえませんし、お金がないと生活が困難になっていきます。

だからこそ、**相手を喜ばせるための基本である「あいさつ」「礼儀」「気配り」の大切さを身に染みて感じました。**

成果を出すために必要なこと

成果を出すことの難しさも痛感しました。

就職活動の過熱化により、〝就職する〟ことが目的になりがちですが、本当に大切なのは就職先で〝成果を出す〟ことなのです。

ぼくはそこに気がついていなかったので、成果を生み出すビジョンがまったく描けていませんでした。**〝就職する〟ことはゴールではなく、あくまで〝スタート〟**なのです。

出会った方たちは、例外なく一生懸命に働いていました。相手を喜ばせるために、見えないところで苦労していました。**成果を出すためには、目標に向かって継続的に努力するしかない**からです。逃げ道はないのです。

臆病になったうえに成果の出し方がわからなかったぼくは、とりあえず他人に言われるままに行動すれば叱られずにすむのではと考え、自分の個性を消すことにしました。

努力しなければならないという現実から逃げ、指示にしたがうだけの〝あやつり人形〟になったのです。

「悪いのは、自分だったんだ……」

そのまま2年半の月日が経ちました。叱られるたびに自信がなくなり、自分のことが大きらいになっていました。視野も狭くなり、ため息ばかり出てきます。

しかし、表面上はにこにこしていました。言われるがままの日々は、記憶からすっぽり抜けていて、思い出せないほどに負担が大きかったのです。

心身ともにボロボロになりながらも、まるでうまくいっていない日々について、身勝手にも自分は悪くない、環境が悪いんだ、と思っていました。

しかし、2年半経ってようやく気づいたのです。

「**悪いのは環境ではなく、自分だったた**んだ……」

自分の意見をもたずに他人に責任をゆだねて、うまくいかないことを誰かのせいにする……。なんてかっこわるい人間なんだ、と嘆きました。

方向性をしっかり定めていれば、成功していたのかもしれないのに……。そう思うと後悔がこみあげてきます。

社会について何もわかっていなかったことに対しても、学生時代から社会に触れておけばよかった、と悔いました。良かったこともあるはずなのに、自分の過去をすべて否定していました。

ちょうどこの時期、同級生が仕事で成功している話や、結婚して幸せに暮らしている様子をSNSで目にするようになりました。

そんな輝いているみんなに比べて、自分は価値がない……。

だから、これ以上、生きていく必要はない……。

そう思いはじめました。生きていくのをやめたくなったのです。

毎日のようにトラックがたくさん走る道路に向かい、飛び込む準備をしました

(ぜったいに真似してはいけませんよ!)。

ところが、運転手の顔を見ると、この人に迷惑をかけるのは悪いな、とためらい、身を投げることはできませんでした。本当にだめな人間だな、と嘆きました。

そんなときです。携帯電話が鳴りました。画面を見て驚きました。

救われた突然の電話

「もしもし、オレだけど……」

徳島県の彼から電話がかかってきたのです！　サッカーボールを蹴りあってから2年半が経っていました。

「久しぶりじゃん！　どうしたの？」

ぼくの問いかけに、彼は以前よりもたくましくなった声で答えました。

「今日はお伝えしたいことがあって、ご連絡差しあげました」

「えっ、何!?」

「……就職が、決まりました。……まあ、ありがとうとは言いたくないけど、ありがとうな」

気づいたら、涙が出てきました。

ぼろぼろ、止まりませんでした。

いろいろな思いを込めて、「ありがとう」とだけ伝えました。

人は、変われる

彼は大切なことを教えてくれました。

「きっかけがあれば、人は変われる」ということです。

彼の変化に触れて、生きようと決めました。そして、彼のように変わりたいと思ったのです。

人生で初めて、将来について真剣に考えました。半年かけて思いをめぐらせていると、旅で学んだことも少しずつ思い出してきます。

まずは、**自分を大切にしよう**と思いました。

何があっても死んじゃだめだ、と決意しました。岩手県のお宅で息子さんを紹介してくれたおじいちゃんの言葉を思い出したのです。

そして、他人と比べることもやめました。それよりも、**自分がやりがいをもてることをしよう**、と決めました。社会の荒波を経験して、やっていて楽しいという〝やりがい〟がなければ歯を食いしばれないと気づいたからです。

今までの自分は、真っ暗闇の荒波の中でどちらに向かうのかも決めずに漂流していたようなものだったからです。

中学生のころ、先生に聞かれて答えた2つの職業。

「お笑い芸人」と「学校の先生」は、いずれも社会に入るための〝手段〟にすぎません。その**職業に就くのは目的ではなく、その仕事をして「何をしたいのか？」「誰を喜ばせたいのか？」という本当の目的が必要**だと気づいたのです。

ぼくは自問自答し、やりがいのもてる方向性を見つけ出そうとしました。

その結果、「悩んでいる子どもたちに笑顔と勇気を与えられる人になりたい」という〝夢の小さな種〟に立ち返りました。

中学時代に先生からいただいた励ましの声かけ、徳島県の彼からの連絡が嬉しかったことが心にとどまっていたのです。

そこで、未来に向かって進みだそうと決めました。**〝今〟の自分の行動次第で未来は変えられる**からです。

進む道のひとつとして、学校の先生になる試験をすぐ受けることも考えました。

しかし、今の未熟なままでは〝笑顔や勇気を与える存在〟にはなれないと自覚していたので、もう一度自分を磨くために、**「多様な価値観に触れる経験」**や**「多彩な本物に触れる経験」**ができる方法を考えました。

今しかできないことに、勇気をもって一歩ふみだそうと思ったのです。

日本2周目へ——
子どもたちに笑顔と勇気を与える存在に成長するために

多くの人に相談し、アイデアを練った結果、ふたたび自転車で日本を一周しながら、各地の学校で講演するプロジェクトを始めることにしました。

これが「全国の悩める子どもたちに笑顔と勇気を与える」ために、そして「未熟者な自分を磨く」ためにベストな方法だと信じたからです。

同時に、自分自身にとっても、**未来を見据えたうえでの〝今しかできないこと〟だと確信**できました。

そこで「旅する先生プロジェクト」と名づけてスタートしたのです。

これまで約60か所（講演時点）の小中高大で出前授業や講演会を開催し、約6000人の子どもたちとのご縁がありました。

学校をやめると言っていたけれど、出前授業をきっかけに踏みとどまった女子生徒さんがいました。

ひきこもりがちだったのが、徐々に教室に通えるようになった男子生徒さんがいました。

「ボクも挑戦したい！」と、夏休みに自転車の旅に出た小学生の男の子がいました。

部活への意欲が増し、驚くほどの好成績を残した高校生たちがいました。

各校の先生方から報告を受けるたび、飛び上がるほど嬉しかったです。

あらためて、**子どもたちの可能性は無限大**だと感じました。

きっかけひとつで子どもたちは変わると実感しました。

今日のこの話もまた、あなたにとってのきっかけになれば嬉しいです。

ゴールデンタイムに根づいた習慣は一生の財産

最後に、もう一度「じゅんちゃんクイズ」です。

みなさんにとって、〝今しかできないこと〟は何でしょう?

中学生・高校生の6年間は「**ゴールデンタイム**」です。

なぜなら、きっかけひとつで心が成長し、考え方も深まっていく絶好の期間だからです。**一歩ふみだせば、ふみだすほど、可能性が広がる6年間**です。

旅を通して幅広い年代の方々と接して感じたのは、この**ゴールデンタイムに習慣づいたことは、心にしっかりと根を張って、自分を支える太い幹となり、一生続けられる**、ということです。

ぼくは一歩ふみだして、毎日こつこつマイペースに続けていたら、3つの宝物(「人との出会い」「経験値」「知恵」)をゲットできました。

みなさんにも、今しかできないことに挑戦し、宝物を手にしてほしいです。

「あのときやっときゃよかったなぁ〜」と後悔するのはつらいので、悔いのないようチャレンジしてほしいと思います。

……とはいえ、みなさんの中には「私も一歩ふみだしたい！　でも、何に挑戦したらいいのかわからない……」と迷っている人もいるかもしれません。

そこで、そんなみなさんに向けて、**「今の不安や悩みをやわらげるヒント」**と**「充実した学校生活を送るためのヒント」**の2つをプレゼントしようと思います。

今を充実させるための2つのプレゼント

①「やってみたいなぁ」という夢を探してみては？

まずは、「やってみたいなぁ」という夢を探してみてはいかがでしょう？

やってみたいと思うことは、楽しいし、満たされるし、なにより〝やりがい〟があります。そんな人生は、心がワクワクして充実します。

そのように考えると、**「夢」は〝充実した人生に導く目印〟**となるのではないでしょうか。真っ暗でどこに進んでいいかわからない真夜中に、進行方向を示してくれる一番星のようなイメージです。

最初の質問に、夢はないよと答えた方は、今日をきっかけに探しはじめてください。

みなさんの心には、「好きだなぁ」「楽しいなぁ」「嬉しいなぁ」「あこがれるなぁ」と体感したことが、〝夢の小さな種〟としてひっそりと潜んでいるかもしれません。夢があるよと答えた方も、ほかの夢はないか積極的に探してみてください。夢はいくつあってもいいと思いますし、職業に絞る必要もありません。

旅を通して出会ったみなさんは、多様な価値観をもち、夢をかなえていました。ひとつの夢を仕事にして、ほかを趣味にして癒しを得ている人もいました。20代は会社員、30代は農業と複数の職業を経験している人もいました。60代まで大工として働いていたおじいさんは、70代になってから歩いて日本一周するという夢に挑戦していました。

夢の可能性は無限大です。自分がやりがいをもてる方法を探してみてください。学校からの帰り道でもかまいません。お風呂の中でもかまいません。布団の中でもかまいません。

ぼーっとしてしまいがちな時間は夢を探すチャンスです。

今日から、探してみてください。毎日探していたら見つかると約束します。


夢の手がかりをつかんだら、それに向かって具体的に行動してみてください。

夢を書いてみてください。

言葉にして、夢を人に語ってみてください。

夢を実現している人に、会いに行ってください。

その夢のためにはどんな努力がいるのか質問したり、相談したり、本で調べたり、実際にやってみたりしてください。学校でもできることはあるはずです。

一歩ふみだせば、夢は目標に変わります。

目標が決まれば、そこに向かって〝毎日こつこつマイペース〟です。

②「いくつになっても必要な力」をゲットしてみては？

もう1つは、学校に通っているあいだに、「**いくつになっても必要な力**」をゲ

ットしてほしいと思います。何だと思いますか？

それは、「まわりの人を大切にする力」と「自分を大切にする力」です。

「まわりの人を大切にする力」――これは人間関係で悩んでいる人にとっては、もっとも大切なヒントかもしれません。

具体的には「あいさつ」「礼儀」「気配り」です。

そうです、ぼくが社会に出て必要性を痛感した社会の基本の3要素です。

「あいさつ」は第一印象の鍵です。

シンプルですが、**「あなたを大切に思っていますよ」と表現するベストな手段**です。

あいさつをされたら誰しも嬉しいです。嬉しいからこそ、知らない人が知り合いになり、さらには友だちに発展するきっかけになります。

人との出会いは宝物だとお伝えしましたね。人と出会うきっかけのひとつがあいさつなので、大切にしてほしいです。

つぎに、**「礼儀」**。

相手に対して感謝の気持ちを行動で伝える力です。**「ありがとうございます」と「ごめんなさい」を素直に言える力**です。

間違いや自分の至らない点を指摘されると、むすっとする人がいます（かつてのぼくもそうでした）。たしかに、「あなたのいけないところはここですよ」と言われると心が痛むものです。でも伝えた相手の立場になると、むすっとされるといやな気持ちになり、もう指摘しなくなるでしょう。

するると、自分の間違いや短所を直すきっかけを失うことになります。

逆に、知らないことを教えてもらったときに、それをきちんと受け入れ、素直に感謝の気持ちを伝えられると、相手はもっと教えたくなります。

すると、自分の間違いや短所がどんどん減っていき、スポンジのような吸収力で成長できることでしょう。島根県で出会った80歳のおじいちゃんは、「まだまだ知らないことだらけだから、いろいろ教えてね」と言っていました。その姿勢を見習いたいです。

最後に、「**気配り**」。

これは〝**相手がしてほしいことを、自分からする**〟ということです。気配りは、自分から率先して相手のために行動する力ですから、ぼーっとしていたらできません。

相手が困っていることを見極める目や、先を読む力が必要です。難しいですが、それをさりげなくできたら、愛される人になれるでしょう。

自分の人生の主人公になる

ただし、忘れてはいけないのが「**自分を大切にする力**」です。

相手を大切にすることに必死になりすぎて、自分を犠牲にする必要はありません（そうしていると、かつてのぼくのように糸がぷっつり切れてしまいます）。

自分を大切にする。まず、なによりも自分を大切にしてほしいです。

自分の気持ち、自分の感想、自分の意思、自分の夢を大切に、自分で人生を選択する――〝人生の主人公〟になってください。

あやつり人形にはならなくていいです。わがままでいいです。そうやって、自分を大切にしてください。

1つ、ぼくからみなさんに難しい提案をします。チャレンジしたい人はやってみてください。

それは、〝**自信をもつ**〟というチャレンジです。

旅先で出会った人たちの中でも、**自信がある人は自分のことを大切にしていました。**

逆に自信のない人は、私なんかだめな人間だと決めつけて、下を向いてため息ばかりついていました。

自信を得るために必要なステップ

ここでもう一度、最後の最後の「じゅんちゃんクイズ」です。

自信をつけるにはどうしたらいいでしょうか?

そのためには、**一歩ふみだして挑戦して、目標に向かって継続し、成果を残すことが大事**だと思います（自信をつけるまでの流れをまとめた「じゅんちゃんすごろく」をぜひ活用してください）。

じゅんちゃんすごろく

① 一歩ふみだして「挑戦」する

② 毎日こつこつマイペースに「継続」する
（継続は難しいことなので、「人との出会い（仲間）」を大切にする）
（また、「人と比べない」。比べるなら昨日の自分と）

③ 継続していくうちに、「経験値」がゲットできる

④ 経験値をもとに、「知恵」がゲットできる

⑤ すると「成果」が出る

⑥ 成果が出ると、「自信」になる

まずは**やってみたいことに一歩ふみだして挑み、経験値や知恵を得ながら毎日こつこつマイペースに継続し、成果を残せたら、かけがえのない自信をゲット**できます。

部活でも、勉強でも、人間関係でも同じです。「継続してよかったぁ〜」と思える日がくると信じて、途中でくじけずにがんばってほしいです。

このすごろくは1日単位でも使えます。朝に目標を決め、その目標に向かって継続し、目標達成という成果が出たら、1日の終わりに自信をゲットできます。

ぜひ一度やってみてください。

心の向きを前向きに

……ここで、ひとつ恥ずかしいことを発表します。

じつは、中学生と高校生のときのぼくは、今日話したことの大切さにまったく気がついていませんでした。

25歳になるまで気づかなかったので、しくじってしまい、もったいないことをしました。

みなさんはぼくより10歳近く若いので、今変われば、ぼくよりも10年早く変われます。

しかも、ゴールデンタイムです。自信もゲットしやすいです。

だからこそ、よりいっそう〝今〟を大切にしてほしいのです。

ぼくは気づくのが遅かったぶん、これ以上、チャンスを逃さないように生きていこうと決意しています。

そのために、**心の向きを後ろ向きではなく〝前向き〟にして生きていこう**と日々、意識しています。

みなさんの心はどちらを向いていますか？

後ろを向いていたらチャンスに気がつかないので、少しずつ前向きにしていきましょうね。

それでも心が弱ったときは……

最後に、くじけない魔法の言葉をプレゼントします。

継続の大切さや前向きに生きる重要性をわかっていながらも、旅の途中でくじけそうになる瞬間があります。

そういうときは、この言葉を思い出すのです。

「いつでもみんな同じ空のした」

心が弱ったら、空を見るようにしています。

すると、今まで出会った大切な仲間の顔が浮かんできます。

家族、小学生のころの友だち、中学時代の親友、旅先で出会った子どもたち……。

この空のしたのどこかで彼ら彼女らも生きているんだと想像すると、がんばらなきゃ！　と思えるし、また会いたいなと思うとふんばる力になります。

しんどいなぁ、つらいなぁ、と思うときは空を見てはいかがでしょう。

みなさんにとっての今しかできないこと、わかりましたか？

あらためて言います。

今しかできないことは、今しかできません。一歩ふみだしてみてください。

ぼくはみなさんとの出会いに感謝していいます。

同じ空のしたから、あなたのことを応援していますし、ぼくも、がんばります。

以上です。ありがとうございました。

第1部

講演会「一歩ふみだす勇気をきみに」

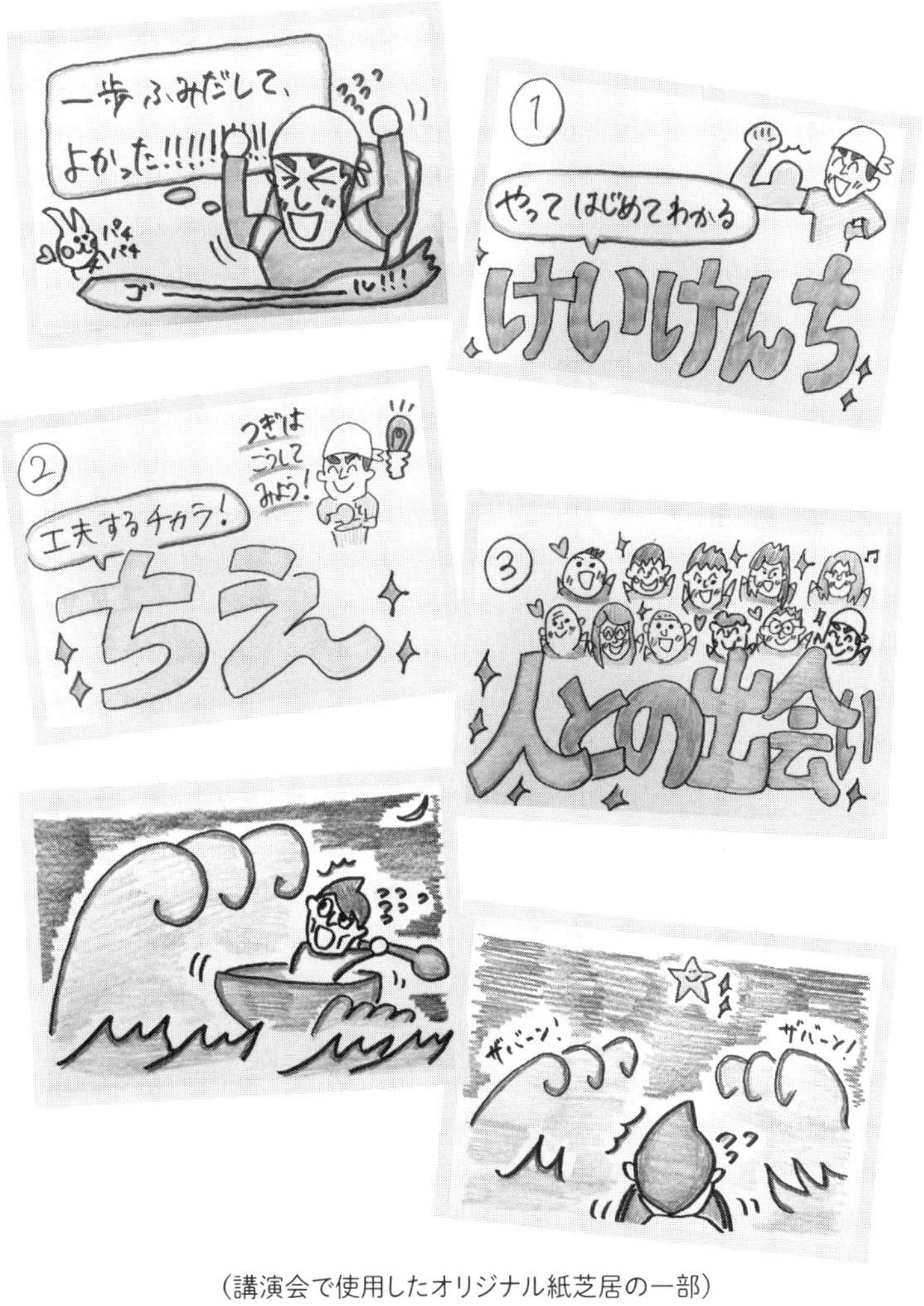

(講演会で使用したオリジナル紙芝居の一部)

旅で出会ったみなさんに、
感謝です

講演後の感想（原文のまま）

「私は、すごく悩んでいました。というのも、学校生活の中で友だち関係や部活のことなど、また期末テストなど次々と難題が押し寄せていたからです。とくに悩んでいたのは〝将来のこと〟についてです。何をしても怒られてばかりの私は、将来何もできないんじゃないかと布団の中でただただ泣いてしまう日々が続いていました。

でも、今日、高橋先生の話を聞いてこんなことで悩んでいる自分が恥ずかしくなりました。先生に学んだ今日は、将来を考え直す〝原点〟であり、〝一生の宝物〟です。（中１女子）」

「〝日本を一周する〟という大きな目標はあっても、１日１日の目標をしっかりと決めて取り組んでいることはすごいと思いました。私は〝ここまでやろう〟という目標をもたずにいることが多いので、今回の授業をきっかけにもっと1日1日を大切にしようと決めました。（中2女子）」

「今回の授業の内容は、ふだんの授業では学べないことです。私にとっては自分と見つめあう授業になりました。そして、『いつでもみんな同じ空のした』という言葉に救われました。私はいつも落ち込んだり寂しいと思ったり、悲しいと思ったりすることは自分の中にしまってしまうのですが、そういうときは空を見たいと思います。（中2女子）」

「〝一歩ふみだす〟のは、たかが一歩じゃん、と思っていました。でもその一歩をふみだすかださないかで、自分の未来は変わるし、自分の好きなことを発見するのにもつながるなと思いました。じゅんちゃんすごろくでいうと、自分は今スタート地点にいます。いろいろなことに前向きに挑戦し、継続していきたいです。（中3男子）」

「人とのつながりは自分の想像を越えることを起こすのだと思いました。（中3男子）」

「夢イコール職業ではなく、さらに視野を広げた〝やりたいこと〟を見つけるために今日聞いた高橋先生の話を思い出しながらこれからもがんばっていきたいなと思いました。（中3男子）」

「たったひとりの力じゃなんにもならないと思っていたけど、ひとりの力だけでこんなに人のためにできることがたくさんあると実感しました。（中3男子）」

「成果がなかなか出なくてつらくても、ずっと継続して経験値を積むことをやめなければ、いつか成果は出るのですね。私が得たいものの自信は、きっとかたちとしてはっきり映るものではないと思います。だけど、いつか、きっと、成果が出た！　と実感できると思います。かたちのない成果のほうが、達成感がありそうで、楽しみです。がんばるぞー！（中3女子）」

「夢を夢で終わらせたくないな、と思った！　今いる目の前の人を大切にして、自分も本当にやりたいことをやりたい！　生き方も人としてもとっても尊敬する！　夢だった世界一周が本当にできるような気がして勇気が出た！（高3女子）」

「最近朝が寒く、布団からなかなか出られなくて『寝すぎてしまったなー』とブルーな気分で1日が始まることが多いのだが、今朝は目標の時間に起きられて、始業までに3時間勉強ができた。

今朝できたことは〝自信〟に多少なりともなっているし、積み重ねて継続できればこの〝自信〟も大きくなっていく気がする。そして明日もがんばろうかなっていう〝継続〟にもつながっていくと思った。〝知恵〟と〝経験値〟を小さな〝自信〟の〝継続〟で得て、目標に近づいていきたい。今日を契機に、受験が終わる日まで、そしてそのあとも突っ走るぞー。（高3女子）」

「私がいちばん驚いたのは、先生にも死を選択肢に入れてしまう時期があったことです。私は昨年、先生の講演の日に学校を休んでいて、今日、初めてお会いしました。

昨年の秋から今年の春にかけて、母の死と初めて向きあい、自己価値や生きる意味を見失い、死んで母に会うことばかり考えていました。死ぬことを選択肢に入れることはとても恐ろしいことで、すべて死ねばいいや、死んだら何もかもなくなるのだからと学校にも行っていなかったので、先生のお話を聴くことができず、聴いていたらどんなに私が救われただろうと思いました。

私が立ち直れたのは、じゅんちゃんすごろくでいう〝挑戦〟ができたからです。生きる権利がせっかくあるのだから、やりたいことを精いっぱいやってみようと思えたからです。

私は法学部に進学するつもりでしたが、自分のために生きるために芸術学部に進学することを決意しました。これから〝継続〟をがんばります。先生もお身体に気をつけてがんばってください。（2年連続で講演させていただいた高校の生徒さんより）」

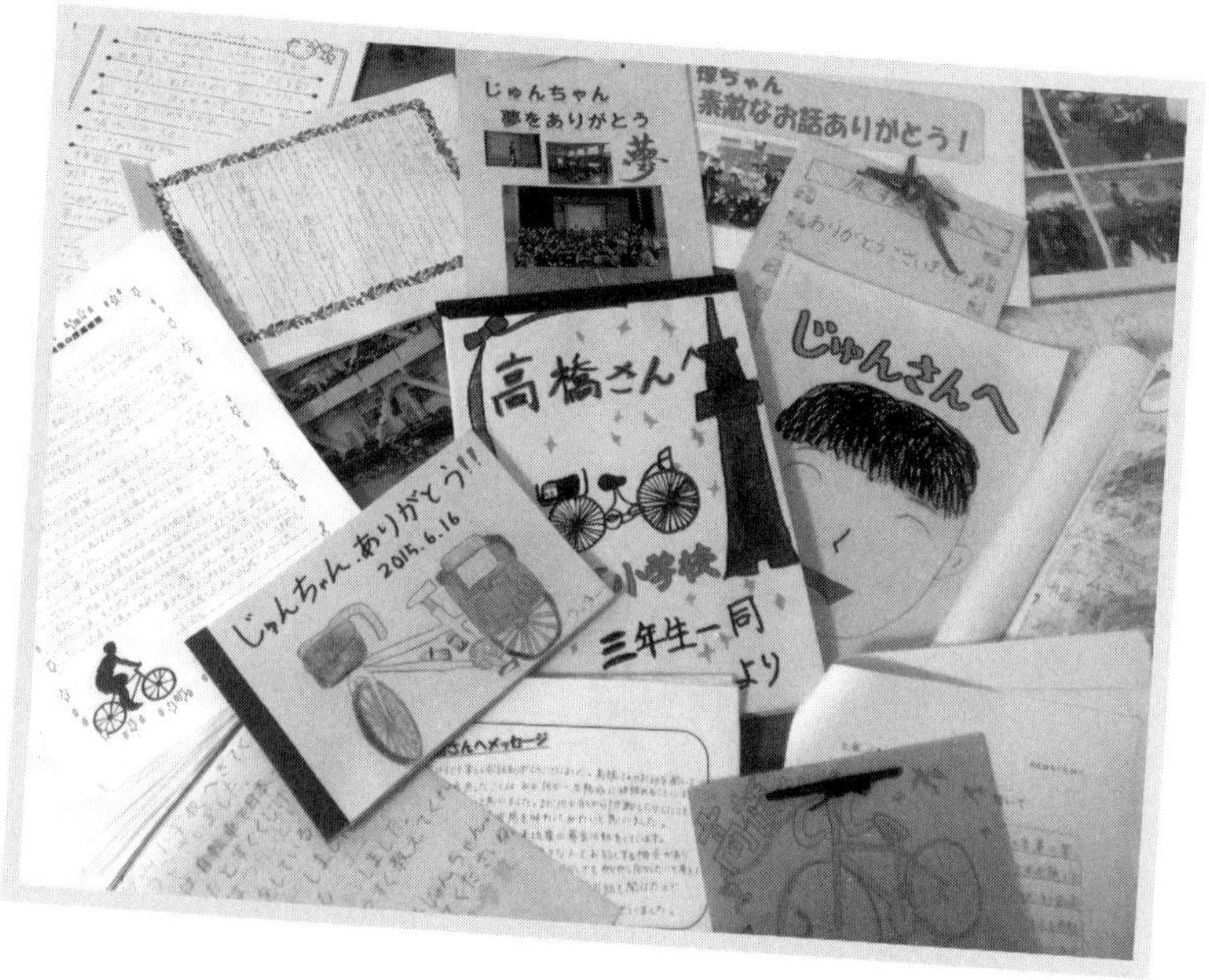

「全国の子どもたちから届いた感想文。
みんなありがとうー！」

第2部

自転車
日本一周での学び

第2部では、2度目の自転車日本一周でゲットした宝物（学び）を、旅で出会った人たちとのエピソードも交えながらお伝えしていきます。

15個の経験談を取り上げていますので、楽しく読み進めてもらえれば嬉しいです。

エピソード①

日本一周
スタート前

どこで誰に助けられるかわからない

夢実現のために、目標をクリアしていく

夢を定めると、充実した人生が始まります。大きな挫折を乗り越えたぼくは、2回目の自転車一周の旅のスタートを2015年4月20日に定めました。準備期間は4か月あります。

「今しかできないことはなんだろう……?」

〝旅する先生プロジェクトを成功させる〟という夢を実現するために一歩ふみだし、まず3つの目標を定めました。

1つ目は、スタートまでに出前授業の経験を積むこと。
2つ目は、スタートまでに旅の資金を調達すること。
3つ目は、スタートまでに荷物の準備をすること。

ぼくは自分が未熟者だとわかっていたので、これらの目標を達成する方法を相

談しようと思いました。そこで、多くの人生の先輩方に電話をかけ、直接、会いに行ったのです。

その結果、このプロジェクトに興味を示してくださる先生を紹介していただき、複数の学校での出前授業が実現しました。感謝するばかりです……。

とくに和歌山県の小学校では、教育実習生のように8日間滞在させていただき、子どもたちと濃いコミュニケーションをとることができました。笑顔あふれる日々を通して、子どもたちから勇気をいただいた気がします。

最終日の放課後、お別れのとき——。

5年生のみなさんはきれいな涙を流していました。その姿を見るにつけ、感動と寂しさでわんわん泣いてしまったぼくに、

「これ付けて、日本一周がんばってや!」

ある女の子はミサンガをくれました。かけがえのない経験値と勇気(とミサンガ)をいただいて、1つ目の目標、クリアです。

資金の調達も、古着屋さんのお手伝いをして、旅のあいだの生活資金をゲットしました(生活資金といっても必要最低限のため、節約して過ごす必要がありま

すが）。２つ目の目標も、無事クリアです。

荷物の準備も、自転車やカバン、衣類などは前回のものを引き続き使うとして、ノートパソコンだけは持っていないので買おうと思っていました。

そんなある日、大学時代の先輩からごはんに誘われました。あこがれの先輩との再会で、いつも以上に先輩を楽しませようと気を配りました。

終盤、パソコンに詳しい先輩におすすめのものを質問すると、

「旅を応援したいから、ぼくがノートパソコンを買ってあげるよ！」

えっ！　本当ですか……！

数日後、新品の最新型ノートパソコンが届きました。ぼくは感謝するのはもちろんのこと、なんとしてもプロジェクトを達成しなければという責任を感じました。３つ目の目標も、クリアです。

みなさんのおかげで経験も資金も荷物も準備万端になりました。あとはスタートするだけだ！　と、この日までは順風満帆でした。

そう、この日の朝、おっちょこちょいをするまでは……。

大切なものを失うと、より大切なものに気づく

　どんよりとした重たい雲が空を覆う朝。買い物を終えてコンビニから戻ると、あれれ、置いていたはずの自転車がありません。頭が真っ白になります。

（……やられた！）

　愛用の自転車が盗まれたのです。鍵のチェーンもなくなっていたので、おそらく切断されたのでしょう。足元をすくわれないように、と生活していましたが、まさか相棒（自転車はぼくにとって恋人のようなものです）を盗まれるなんて……。付近をくまなく探しましたが恋人の姿は見当たりません。交番でも、焦って早口になるぼくとは対照的に冷静で淡々としている警察官から、前向きな返事はありませんでした。

　藁にもすがる思いで、インターネット上で目撃情報を集めることにしました。ツイッターとフェイスブックに盗難されたことを書き込みすると、あれよあれよと拡散されていきます。

2時間後。インターネットの力を感じる出来事が起きました。

「投稿見ました。よかったらぼくのロードバイク使いますか？」

メッセージの送り手は、シュンイチ君でした。シュンイチ君は、1回目の日本一周の際、大雨が降る日に峠道で遭遇した好青年です。がっしりとした体格で、りりしい眉毛から実直な性格がうかがえる彼もまた、自転車旅の最中でした。靴下がぐじゅぐじゅになるほど濡れていたので、お互い奇妙なほどに高いテンションで「よくこんな雨の日に旅しているね！」と笑いあったことが思い出されます。

「おおお！　シュンイチ君！　お久しぶり！　単刀直入に、いいの？」

「いいですよ！　ぼく、春から新社会人で、しばらく使わないので」

数日後、新幹線でシュンイチ君はやってきました。輪行バッグに包まれている自転車を肩に担いでいます。

まさか、あの大雨の峠道で出会ったシュンイチ君から自転車を借りることになるなんて……。あらためて、**どこで誰に助けられるかわからない**と感じました。感謝してもしきれません。

2人で案を出しあった結果、自転車に「アキコさん」と命名しました（なぜ「アキコ」と名づけたのでしょう？　答えは、第2部の最後に発表するので予想してみてください)。

別れ際、彼は本心をこぼすようにぽろっと言いました。

「ひとつだけ……自転車の故障がきっかけでじゅんさんが事故を起こすようなことがないか、すごく心配なんです」

車体には、彼の心配の種を減らすように、どこかの神社のお守りシールが貼ってありました。善意で貸してくれた彼のストレスになるのはつらいことです。そこで、旅をしながらお金を貯めて自転車を買い、アキコさんはいち早くシュンイチ君に返そうと決めました。

その晩、実家に電話した際に、「自転車を貸してもらえることになった」と姉に伝えたら、ハッとさせられる言葉が返ってきました。

「世の中あったかいね。でも、**大切なものを失って、より大切なものに気づけたんじゃない？**」

自転車は、大切なもの。でも、それ以上に大切なものは、シュンイチ君のような〝**自分が困っているときに助けてくれる存在**〟です。

これから始まる旅は、〝より大切なもの〟に気づく旅になることでしょう。そう考えると、スタートがよりいっそう楽しみになってきました。

追記

翌日、姉から連絡がありました。

「あたしの自転車も盗まれました」

ぼくは返信しました。「世の中って、いつもあったかいわけではなさそうだね」と。

シュンイチ君が貸してくれた「アキコさん」（手づくりのナンバープレートもいただきました）

エピソード②

スタートから57日目

（兵庫県・和歌山県）

実体験こそ、最大の学び

目標をクリアするたびに感じる爽快感

4月20日――。

平静を装って荷物の最終チェックをしていますが、心の中では、一度経験しているからこそその不安がぐるぐると回っています。病気、事故、事件……。一歩ふみだす前は、どうしてこんなにも消極的な言葉が浮かんでくるのでしょう。それらを両手で振り払いました。

ついに、二度目の自転車日本一周のスタートです。母校での講演後に広島県広島市を出発しました。

毎日こつこつマイペースに、**今日はここまで進もう、と目標を立てて実行していくと、日々にやりがいが生まれただけでなく、目標を達成したときにはスカっとした爽快感に包まれました。**

成功体験によって、不安も次第に薄れていきます。序盤は浦島太郎のようなぎこちなさがありましたが、だんだん旅の感覚を取り戻していきました。

スタートから2か月で広島県から岡山県、兵庫県、大阪府、和歌山県、奈良県と東に進み、その間に14校にて出前授業を実施しました。

実際に訪問してみると、**学校の環境は多様である**ことがわかりました。山の中にあって全校児童10名ほどの小学校もあれば、都心部にあって大人数がひしめく小学校もあります。

人数の少ない学校では、日常場面で上級生が下級生の手本となる様子が見られ、この関係性はすてきだなと感じました。

人数の多い学校は多様な個性が光っているため、社会性を養いやすいだろうなと感じました。

こうしていろんな学校を客観視するとそれぞれのよさに気づくのですが、児童のみなさんたちはないものねだりをしていました。そうか、子どもたちは自分の所属する環境しか知らないんだな……。

また、通信制高校と定時制高校にも訪問しました。実体験こそ最大の学びです。どんな学校なのかよくわかっていませんでしたが、実際に〝行く〟〝触れる〟〝感じる〟ことで学ぶことが多かったです。多様な環境で生活する生徒のみなさんのニーズに合わせた高校があるとわかりましたし、授業をすることで雰囲気を学べました。**〝居場所〟って大事**だな……。

前向きに続けていれば、良いことが起こる

どの学校での出来事も印象的なのですが、とくに記憶に残っているのは淡路島の小学校での講演です。

旅の様子が掲載された新聞記事をご覧になった保護者の方から講演依頼をいただいたとき、すでに奈良県奈良市まで進んでいました。淡路島に行くためには約150キロ、来た道を戻らなければなりません（つまり往復で300キロ、約30時間かかります）。

「戻るのは大変だけど、これも何かのご縁だし……よし、行こう！」

深夜3時――。

自動販売機の横の冷え切った青いベンチから起床し、硬くなった腰を叩いてから淡路島をめざして出発しました。

日が暮れるまで自転車をこぎ続けて兵庫県明石市まで移動し、翌朝には淡路島に上陸したのですが、進行を妨げるように梅雨らしい雨がしとしとと降ってきました。

カッパを着ると汗をかくたびに蒸れて体温調節がうまくできません。だから雨を気にせず、Tシャツに半ズボンのまま目的地をめざして進んでいきます。

時間とともに疲労は蓄積し、体力はどんどん奪われていきます。でも、きっといいことがあるはずだと前向きさを忘れずにペダルをこぎ続けました。

やっとの思いで小学校に到着すると、児童のみなさんが保護者の方々や先生方、テレビ局のカメラマンとともに出迎えてくれました。純真無垢な表情を見ていると、疲れは雨雲の裏まで吹っ飛んでいきます。

「一歩ふみだしたら、いいことあるよ。やりたいなと思うことは、ぜひとも挑戦してほしいな！」

講演の最後にそのように伝えると、彼らは屈託のない笑顔を輝かせていました。

「やっぱり、本物に触れるのって、いい体験ですね」

多くの荷物が積まれた自転車に興味津々の彼らの表情を見ながら、先生がぼそっとつぶやきました。

戻ってでも、来てよかったと思いました。この体験を通して、**大変だと思うことも、前向きに続けていたら良いことが起こる**と学べたからです（さらに、この日の小学生との出会いが北海道でのミラクルを生むのでした。乞うご期待……！）。

淡路島の小学校での講演後、取材を受ける様子（児童のみなさんの屈託のない笑顔が輝いていました）

やってみて初めてわかる学び

実体験を通して職業観や人生観を学ぶため、ご縁のあった場所で「職業体験」をしました。いろいろな職業を実体験することも、今しかできないことだからです。

岡山県のお茶畑の農家さん、兵庫県のから揚げ屋さん、和歌山県の自動車修理工場、無農薬野菜の農家さんなどで体験しました。

どの職業でも、**やってみて初めてわかる学び**がありました。

とくに勉強になったのが農家さんです。畑仕事では、土の上を歩くと足の裏が潤い、土を触ることで手が潤うことがわかりました。まるで**大地のエネルギーで体内が満たされるように、元気になるのが感覚的にわかる**のです。いかに舗装された地面の上ばかり歩いていて、足の裏がカラカラになっているのかを思い知らされました。

体が潤うと、心が潤います。農作業でいい汗をかくことで、リフレッシュできました。作業自体は筋力を使ううえに辛抱強さが求められますが、作業を終えたあとの爽快感は格別だからです。

「会社勤めで心の病気になったサラリーマンも、休職して農業を始めたら1か月で復活できたんだ。表情がいきいきしていったんだよ」

自然のパワー、おそるべしです。

和歌山県でお世話になった農家「元ちゃんファーム」の元ちゃんは、27歳のときに奥さんといっしょに農業を始めたとのことです。坊主頭で丸メガネが似合う元ちゃんは、ぼくを兄弟のようにやさしく受け入れてくれました。

ある日、元ちゃんと早朝から無農薬野菜を収穫したあと、奥さんがお昼ごはんに採れたて野菜の料理をふるまってくれました。

「……うんまっ！」

噛みごたえのあるズッキーニをかじると、野菜本来の甘みが口いっぱいに広がりました。これまで食べた野菜の中で格別においしかったです。

食べているうちに、「おいしい！」を無意識に連発していたのはもちろん、さらに笑みまでこぼれてしまいました。みんなも笑顔です。野菜の甘みで思わず笑っちゃったのは初めてです。

通信制高校や定時制高校、淡路島の小学校などを訪問して得たことも、土の上を歩いて感じたことも、採れたて野菜の味も、実体験したことで初めて学べました。

脳で、というより**五感（見て、聞いて、においをかいで、食べて、肌で触れて）で学んだ**気がします。

あらためて、**実体験こそ最大の学び**だと思いました。

追記①

元ちゃんに「農家を始めた理由は何ですか？」と聞いたら、さらっと答えてくれました。

「好きな人と朝から晩まで、いっしょにおれるからかな」

それを聞いた奥さんは、麦茶を片手にうんうんとうなずいていました。

元ちゃんと、じゅんちゃん（朝からいっしょに無農薬野菜の収穫をしました）

追記②

職業体験で貯めた資金で自転車を購入し、アキコさんはシュンイチ君に無事お返しすることができました。奈良県の自転車屋さんで購入した新たな〝旅の相棒〟はフランス製なので、ローマ字で「AKIKO」と命名しました。

エピソード③

スタートから74日目
（福井県）

心が前向きだと、チャンスに気づく

声に出して、自分で自分をほめる

淡路島から奈良県へと戻り、その勢いのまま滋賀県へ。対岸が見えないほど大きな琵琶湖の湖畔を北上していきます。右を向けば緑色のじゅうたんのような田んぼがどこまでも広がり、左を向けば穏やかで包容力のある琵琶湖がぼくのことを受け止めてくれます。

空がいつもより広く感じるほど解放的で、自転車を止め、思わず両手と、両足のすべての指を目いっぱい広げて深呼吸しました。琵琶湖のまわりは空気がおいしい！

「ついに福井か……」

いつもは前向きな心が、この日は下を向いていました。

1回目の日本一周時の苦い思い出（福井駅にて、やんちゃなお兄さんたちに自転車のタイヤをカッターで切られた経験）が脳裏をよぎったからです。あのときのショックは大きく、悪い印象をぬぐえません。いつも以上に重く感じるペダルをのっそりのっそり踏みこんでいきます。

滋賀県と福井県の県境はとてつもない坂道です。AKIKOさんから降り、くつが脱げそうになりながらも一歩ずつ押し進んでいきました。

いやだなぁ、しんどいなぁと思っていても、登り切ったときには表彰台にのぼったときのような達成感が待っています。

「……よし、よくがんばりました！」

ひとりぼっちで誰もねぎらってくれないときは、自分で自分をほめるのです。声に出しても恥ずかしくはありません。誰もいないんですから。

そこから勢いよく坂を下っていくと、ぐんぐん加速していきます。上りのしんどさを乗り越えたご褒美なのでしょう、遠心力に身をゆだねてカーブをなめるように進むたび、爽快な気持ちになります。霧がかっていた頂上付近から下りた先には、福井県が広がっていました。

前向きさはチャンスをプレゼントしてくれる

「……おーい、兄ちゃん！」

脚立を積んだ軽バンの助手席から、そでが汚れた作業着姿のおじさんに声をかけられました。細身の色黒で、顔には年季の入った深いしわが味わい深く刻まれています。

おじさんの指示なのか、運転席の金髪のお兄さんは会話ができるように車の速度を落としています。

「今夜、どこに泊まるんだ？　メシでも食べにいくか！」

「ありがとうございます！」と答えたとき、後方から耳に響くクラクションが聞こえました。後続車からの「速く走れ！」というメッセージでしょう。

仕方なさそうに加速する軽バンの助手席から、「敦賀駅前集合な！」というおじさんのしゃがれた声が聞こえました。軽バンはあっという間に見えなくなります。

1時間後、日が沈む前に敦賀駅に到着しました。

おじさんが何時に来るか（そもそも本当に来るかどうかも）わからないので、書店で本を買い、駅前のベンチに腰をかけて待つことにしました。

しかし、積極的にページをめくるものの、おじさんが来るのかどうかが気になって集中できません。連絡先を聞いていればよかったと悔いましたが、前向きにとらえることにしました。

「まぁ、来ても、来なくても、思い出だ。気楽に待とう！」

3時間が経過しました。駅前はすっかり閑散としています。おなかが空いたなぁ。おにぎり買おうかなぁ。いや、でもここまで待ったんだ。おじさんを信じよう！　いや、でも、ぐぅ……。

すると、マウンテンバイクに乗った青年2人組が前を通りました。2人ともパンパンに膨らんだ旅行用バッグを背負っています。

「旅人かな？」と問いかけると、「はい！」と答えた彼らは、大阪府から北海道をめざしていると言います。今夜はこの辺りで野宿するとのことだったので、仲間に入れてほしいとお願いしたら、すんなり受け入れてもらえました。

3人並んでベンチに座ります。ユニフォーム姿のアラタ君と、つばを後ろに向けた野球帽がお似合いのカズマ君は仲良くパンをかじっていましたが、ひと口頂戴とは言えませんでした。

「ぼくら、ラーメン屋行こかなと思ってますけど、じゅんちゃんも行きます？」

アラタ君からの提案に、頭の中で悪魔のささやきが聞こえましたが、断りました。おじさんは、ぜったい来るんだから！

……しかし、22時になっても、おじさんは来ません。

「そろそろ、寝るとこ、探しましょか？」

楊枝をくわえて戻ってきたアラタ君とカズマ君に力なく「そうだね」と答え、ベンチから腰を上げた、そのときです。

「兄ちゃん！　待たせたな！」

おじさんが現れたのです！　ぼくには後光がさしているように見えました。

……よく目を凝らすと、ほほを赤らめて、ひっくひっくとしゃっくりをしています。あれ？　お酒を飲んでいたのかな？

千鳥足のおじさんは、ファミレスに連れていってくれました。

「好きなものを、好きなだけ食べていいぞ！　いいか、好きなだけだ！」

「ありがとうございます！　……じゃあ、このカレーライス！」

「それだけか!?　うそ言え！　遠慮はいらんぞ！（ひっく）」

おじさんは、「がんばっている若者を応援したいんだから」と連呼していました。

「ではお言葉に甘えて……カレーライスと、アボカド卵どんぶりと、フルーツパフェ！」

料理のおいしさは、何を食べるか以上に〝誰と食べるか〟で決まります。かきこんだカレーライスは、脳みそがぷるぷるっと揺れるほどおいしかったです。おいしさのあまり、空まで飛んでいってしまいそう……。

「兄ちゃん、おいしそうにごはんを食べるなぁ！（ひっく）」

アボカド卵どんぶりも米粒ひとつ残さずごちそうになり、食後にフルーツパフェをいただいていると、おじさんはビールグラスを片手に「オレのデザートは、これなんだよな～」と笑っていました。

何度も不安になりましたが、前向きな気持ちで待ってよかったと思いました。

見切りをつけず、**心を前向きに待ち続けたからこそ、2人組に出会うチャンス、おじさんと仲良くなるチャンス、そしてこんなにおいしいごはんをたらふくいただくチャンスをゲット**できたのです。**前向きさはチャンスをプレゼントしてくれる**んだな……そんなことを考えながらテントで眠りにつきました。

新しい出会いのチャンスは身近にある

翌朝——。

アラタ君、カズマ君と並んでの野宿から目覚め、3人で福井市をめざすことにしました。

その日は梅雨明けを告げる快晴で、海や空の景色が抜群に美しかったのですが、暑くて汗が止まりません。登り坂ばかりの道を、歯を食いしばって進み続けたものの、3人ともバテてしまったので道の駅で昼休憩をすることにしました。

空腹は最高のスパイスです。ガスコンロでスパゲッティをゆでて、アラタ君とカズマ君にも分けてあげました。味付けは塩とオリーブオイルだけでしたが、3

人でシェアするとおいしさは3倍に膨らみます。青春の味がしました。

ごちそうさまのあとに食器をウエットティッシュで拭いていると、仲睦まじい様子で歩くご夫婦がいらっしゃったので、「こんにちは！」とあいさつしました。

「ほう、自転車旅人とは今どき珍しいなぁ」

おじちゃんの好奇心に応えるべく、質問にお答えするかたちで旅のきっかけやこれまでの出来事を話しました。すると、ミラクルが起きます。

「きみはおもしろいなぁ。そうだ、今夜、わが家に泊まりに来てもいいぞ。どうする？」

なんと、ご自宅の住所を教えてくれたのです。両手でガッツポーズ！

疲労困ぱいでしたが、がんばる勇気がわいてきました。2人に朗報を伝えると、同じように両手でガッツポーズをしていました。野宿の回避は、夏休みの宿題がなくなるのと同等の喜びがあるのです。

それから6時間後——。ご夫婦のご自宅がとんでもない山の中にあることは想定外でした。泣き言を口にしながらも3人6脚で激励しあいながら進み続け、やっとの思いでご夫婦宅に到着しました。

おじちゃんもおばちゃんも「ほんと、よく来たねぇ」と目じりを下げて喜んでいます。

まずはお言葉に甘えて、お風呂をいただくことになりました。誰が最初に入らせてもらうかじゃんけんしたものの、その結果に納得いかず、結局3人で入浴することに。アラタ君もカズマ君も、喜びの奇声をあげながら体をこすっています。

湯船につかると……気持ちよすぎて、軟体動物のようにとろけてしまいました。お風呂に入れるって、こんなにも幸せなことなんだ！

「好きなだけ食べなさいね！」

晩ごはんには、鉄板焼きをごちそうになりました。タレが絡まった豚肉とキャベツを白

途中であきらめそうになりましたが、美しい夕焼けに励まされました

米の上で休憩させてからほおばります。おいしい……。そして、追いかけるようにタレが染みた白米をほおばります。おいしすぎる……。

はふはふ言いながらかきこむように食べていると、おばちゃんは「そんな急がんでも、ごはんは逃げんよ！」と笑っていました。

翌朝、ご夫婦に似顔絵をプレゼントしてから旅立ちました。先を急ぐアラタ君とカズマ君ともここでお別れです。それぞれと抱擁してから別々の道を新たに進みはじめました。ちょっぴり悲しいですが、きっと新たな出会いがあるので前を向いて進みます。

その日の夕方。あてもなく県道を走っていると、田んぼを眺めていた白髪頭の陽気なおじさんに声をかけられました。お名前は南さんとのことです。

「あんちゃん、何してっぺや？」

日本一周の旨をお伝えすると、

「泊まれるとこ連れてっけど、行くか？」

とお寺を紹介していただきました。そこでは、朝3時から座禅と掃除をする代わりに、5日間宿泊させていただきました。

印象的だったのは、南さんが口癖のようにおっしゃっていたフレーズです。

「あんちゃん、ぼちぼちいこう。どう過ごしても、最後は墓地なんだから。ぼちぼち」

福井県でのひとときとおりの出来事を通して、**心を前向きにする大切さ**を感じました。

新しい出会いのチャンスは、意外と身近に転がっているのかもしれません。

……あれ？　いつの間にか、福井県が〝大好き！〟に変わっていました。

福井県で出会ったみなさん、大好きです！　ありがとうございます！

チャンスに気づけるよう、これからも前向きでいよう！

追記

お寺にて、座禅の最中にうとうと寝てしまいました……。気合いを入れるべく、住職さんからバリカンを借り、丸坊主にしました。

気合い、バッチシです

エピソード④

スタートから122日目
（山形県）

人ほど
あたたかみのある
ものはない

リフレッシュには、自然のチカラを

ギラギラと輝く太陽の光が、肌の奥まで突き刺さります。空に浮かぶ入道雲。滴り落ちて目にしみる汗。甘酸っぱい記憶を想起させる香りの日焼け止め。さあ、夏本番です。

熱中症対策のために早朝や夕方など涼しい時間帯を選んで移動しても、背中はすぐにびっしょり汗だく。着替えたTシャツを荷台に結び、乾かしながらペダルをこいでいきます。

「暑くてやってられない！　リフレッシュしたい！」というときは、服を着たま

富山県では、川へ（お風呂と洗濯を同時にやっている様子です）

ま川や海に飛び込みました。これができるのは丸坊主にしたおかげです。

石川県を経由して、富山県へ。高岡市の高校で出前授業をしたのを最後に、世間は夏休みに入ります。講演内容を練る絶好の機会ですが、机の上ではアイデアが生まれにくいものです。富山県では川に、長野県では山に、新潟県では海に向かい、自然と触れあいながら夏休みを過ごしました。

とくに長野県では仲良し6人組のお兄さんたちの輪に入れてもらい、唐松岳（標高2696メートル）に登ったのが記憶に残っています。雲よりも高い山頂は空気の粒が小さく、肌あたりがやさしかったです。**自然のチカラのおかげでリフレッシュ**できました。

やさしさが、心をじんわりとあたためてくれた

日本海側を北上し、山形県に到着しました。記憶を頼りに、山形県では〝思い出の場所〟をめざします。

魔のカーブが続く坂道がきつく、想定よりも時間がかかる……。予定時刻より

も3時間も遅れて到着しました。月明かりの下、店先に自転車を停めてのれんをくぐります。

「こんばんは！　すみません、遅くなりました！」

「……あら、いらっしゃい」

声を張るぼくとは対照的に、奥さんの返答は思いのほか柔らかく、拍子抜けしました。

「好きなの、頼んでいいわよ。おなか空いてるでしょ？」

ぼくは豚骨醤油ラーメンをオーダーしました。

ここは、1回目の日本一周の際、店主のおじさんのご好意で宿泊させていただいた思い出のラーメン屋さんです。新メニューのポスターが増えた以外は当時のままの趣で、実家に帰ったときのような安心感がありました。

気合いを表す手ぬぐいを額にがっしりと締めたおじさんがつくり、ネコの柄のエプロンが愛らしい奥さんが運んでくれた豚骨醤油ラーメンもまた、当時と変わらぬ味で安心感があります。

厨房内で「痛たたた……」と腰に手をやるおじさんに、奥さんはどんぶりを洗いながら「もう若くないんだから、無理しないでよね」と声をかけていました。

「今夜も、泊まるだろ？」

おじさんからのお誘いに、今回も甘えるのは悪いと思って一度は断りました。

「遠慮しなくていいんだからね。シーツも洗っておいたんだから」

奥さんの言葉にも背中を押され、結局、甘えることにしました。

部屋にあがると、しわひとつないシーツのかかった布団が用意されていました。枕もとにはミネラルウォーターのペットボトルが2本置いてあります。のどが渇いてもいいように配慮してくださったのでしょう。


翌朝——。よだれが出るほど快眠させてもらった恩返しに、お店のお手伝いをしますと宣言しました。

「じゃあ、掃除と、皿洗いをしてもらおうか」

喜んで店内におじゃまし、ほうきと雑巾で入念に清掃します。普段は見られない厨房に入ると驚きと発見の連続です。広くはないスペースを最大限に活かした棚を見ていると、長年の知恵が詰まっていると感じました。

「じゅんくん、ありがとう。営業始まるから、ここからは2人でやるわね」

きっと、厨房内での阿吽の呼吸があるのでしょう。ぼくが入ることによっていつもの流れが滞るのは悪いと思い、部屋に戻りました。

小説を1冊読み終わったころ、奥さんからランチ営業がひと段落したと連絡がありました。

「近所においしいカレー屋さんがあるの。じゅんくん、カレー好きだったよね」

よく覚えてくれていたなぁと嬉しく思いながら、お店に向かいました。

「いらっしゃいませ！　……あっ、もしかして、噂のじゅんくん？」

コック服を着た、ひまわりのように明るいお姉さんが笑顔で迎えてくれました。

「ここ最近ずーっと楽しみにしてたんだよ。早く来ないかなぁ、早く来ないかなぁって。昨日は朝から大変だったんだから」

奥さんは、「もう、言わないでよ！」と照れを隠していました。

結局、3泊させていただきました。

最終日、秋田県との県境まで一気に移動する予定でしたが、朝の清掃を終えると大雨が降り出しました。

「ランチ営業が終わったら、車で送ってあげるわよ。自転車も、乗るよね？」

お断りしたものの、「甘えていいのよ～」との言葉を素直に受け取らせてもらいました。ワイパーで飛ばされるしずくを見ながら車での移動が始まります。

「車は楽でいいわよね～」

たしかに天候に左右されず、体力も消耗せずに移動できるすぐれた手段ですが、自転車とは違い、人との予期せぬ出会いや坂を登り切ったときの達成感がないので物足りなさがあります。

あらためて、**「楽《らく》さ」と「楽《たの》しさ」は別**だと思いました（もちろん、この大雨ではそうも言っていられませんが）。

「せっかくだし、もうちょっと行ってあげるわよ」

という奥さんのやさしさが複数回続き、予定の2倍近く進んだ先の道の駅で下車しました。

「これ、お弁当ね～。夜と、明日の朝のぶん。容器は捨てちゃっていいからね！」

2つのお弁当は、ずしりと重みがありました。山賊むすびも3つ入っています。

「ねぇ、じゅんくん、小腹が空いたでしょ。私も何か食べたくなっちゃった」

お別れの前に、軽食コーナーのベンチに座り、から揚げ棒を並んで食べることにしました。

ぼくがポスターを見ていたら、「食べたいんでしょ～?」とばれてしまったので、ソフトクリームもごちそうになりました。終盤、コーンが割れてどろどろとこぼしてしまったのですが、奥さんは「もう、子どもみたいなんだから～」と笑いながら拭いてくれました。

ついにお別れのとき。車は別れの余韻にひたることなく、あっという間に見えなくなりました。残されたぼくは心にぽっかり穴が開いたような気分で、ひとりぼっちのベンチに腰かけ、物思いにふけりました。

……1時間ほど経ったでしょうか。ここで野宿するつもりでいましたが、雨がやんだので、ぼくはサドルのしずくをふき取ってからＡＫＩＫＯさんにまたがりました。なんだか、走り出したい気分だったのです。

間もなく、心情を表すような雨がパラパラと降り出しました。雨音に合わせて、ここ数日の思い出がよみがえってきます。

「うちの子、産まれていたら、じゅんくんと同じ年齢だったんじゃないかな……」

待ちくたびれて疲れていた様子も、しわのないシーツも、枕もとのミネラルウォーターも、ぎゅうぎゅうのお弁当箱も、から揚げ棒も、ソフトクリームも、ぜんぶ愛情の投影だったのかもしれません。**人間が本来もつあたたかみ**、ともいえるのではないでしょうか。

たしかに冷たい人もいます。世の中はいつもあったかいわけではありません。ぼくもひどいことを言われ、心に思いっきり氷水を浴びせられるような経験をしたこともあります。

しかし、絶望することはありません。なぜなら、氷水で冷えた心をあたためてくれる人もいるからです。いないと断言できる人は、もしかしたら、あたたかみのある人にまだ出会えていないだけかもしれません。これからの出会いに期待してみてください。

人ほどあたたかみのあるものはない、とぼくは思います。奥さんのやさしさは心に染み、じんわりとあたためてくれました。

雨粒は大きくなり、土砂降りになってきましたが、ペダルをこぐのをやめられません。タイヤが巻き上げた水しぶきが顔にまでかかります。やまない雨に紛れて、止まらない涙がほほを伝い続けました。

追記

「これまでの人生、友だちの輪が膨らんだから、悪くはなかったなぁ……」

秋田県にて。暴風雨の日に管理人室で休憩させてくれた公園管理人のおじいちゃんは、窓の外を見つめ、穏やかな表情で回顧していました。

「……財布は膨らまなかったけど」

長野県では、山へ（仲良し6人組のお兄さんたちと、唐松岳頂上にて）

エピソード⑤

スタートから142日目
（北海道）

成果は遅れてやってくる

教育現場に「挑戦する勇気」を届ける価値

「きみは、日本の教育界に必要な存在だ！　応援だと思って、受け取って」

秋田県から青森県へと向かう途中、トイレ休憩で立ち寄った道の駅で、無精ひげを触りながら興味深くＡＫＩＫＯさんを見ているおじさんがいました。あいさつをして、これまでの旅の話をすると、おじさんはくたくたのジャケットの胸ポケットから財布を取り出し、冒頭の言葉とともに1万円札を差し出してきました。

「こんな大金、受け取れませんよ……」と断り、押し問答が続きましたが、北海道へのフェリー代に使用すると明言したうえで、ありがたく頂戴しました。

「ご職業は？」とうかがうと、「しがない大学教授だ」とのこと。教育関係者は、子どもたちに挑戦する勇気を与える存在を望んでいるのかもしれません。


北海道行きのフェリーでは、青森県五所川原市の中学校でおこなった講演会の感想を読んで過ごしました。

「私も挑戦したくなりました！」と書いている生徒さんが、実際に一歩ふみだしてくれたらいいなぁ……。

そういえば、兵庫県ですれ違った26歳の自転車日本一周旅人（関西弁イケメン好青年）に、旅を始めたきっかけをたずねたことがあります。

「ぼくが中学生のとき、自転車で世界一周した人が学校に来て講演してくれてん。それ聞いてから旅への興味と意欲が止まらへんくってね。なんか、ぼくも、挑戦したいなって思ってん。じゅんちゃんの話を聞いた子も、将来旅に出るかもしれへんな！」

旅に限らず、どんな小さなことでも、挑戦したという便りがきたら嬉しいだろうなぁ……。今はまだ、子どもたちに夢の小さな種をまいている段階だけど……。

「せやから、じゅんちゃんのやってること、むっちゃ価値あるで」

花が咲く（成果が出る）までは、毎日こつこつ継続していくしかありません。

成果が出ると自信につながる

北海道に上陸すると、1回目の日本一周でもお世話になった〝旅人御用達の宿〟に向かいました。七福神のような笑顔が印象的な宿主（通称もーさん）も元自転車旅人です。

「今夜はガスってないから、函館山からの夜景がきれいに見えるはずだよ」

もーさんに穴場を教えてもらい、日没に合わせて函館山に登ることにしました。観光バスの駐車場からロープウェイ乗り場へと並ぶ観光客の大行列を横目に、徒歩で山登りを開始します。草木が生い茂り、外灯がないので真っ暗でしたが、もーさんが貸してくれたヘッドライトのおかげで足を踏み外さずに進めました。

展望台に到着すると観光客がおしくらまんじゅうをしているかのように混雑していたので、足早にもーさんに教えてもらった穴場に向かいました。

そこには、ぼくしかいませんでした。

そして、目の前には――。

きらきらときらめく、宝石箱のような夜景が広がっていました。真っ暗闇の中を歩いて登ったあとだったので、いっそう輝いて見えます。

無意識に口が開いてしまい、笑みがこぼれてしまいました。

宝石箱のような夜景、きれいだったなぁ

今夜はいい夢が見られそうだなぁ……と、夜景に見とれていたそのときです。現実に引き戻すように電話が鳴りました。まぶしく光る携帯電話の画面には、淡路島の小学校で出会った保護者さんの名前がありました。

突然の電話に心が躍ります。元気よく電話に出ました。

「うちの息子が、じゅんちゃんの話を聞いて、ぼくも何か挑戦したいと言い出したんです」

おー！　それはとっても嬉しい！

「それで、淡路島を一周歩くイベントに参加したんです」

淡路島はとてつもなく大きいです。外周約１５０キロで、アップダウンが激しいので自転車で一周するのもひと苦労です。えっ、１５０キロ歩く!?　無理なのでは……。

そう心配していると、

「今、ゴールしたんです！」

「えええ！！！」

感激はひとしおです。あらためて、**子どもの可能性は無限大**だと知りました。

無理、なんて決めつけてはだめなんだと教えてもらったぼくは、とっさに気持ちを伝えていました。

「これまでの旅でいちばん嬉しい出来事です！」

これは、スタートから142日目の出来事です。**成果が出ると自信にもつながるし、ここまで続けてよかった**、と思いました。

夜景を見ながら余韻にひたります。宝石箱以上に、彼の挑戦は輝いていました。

追記

群馬県で新聞取材を受けた際、嬉しかったエピソードとして話したところ、この出来事が記事になっていました。その新聞を淡路島に郵送すると、保護者さんから電話をいただきました。

「うちの息子、とても誇らしげにしているよ」

成果の報告が聞けて、嬉しいぞー!

エピソード⑥

スタートから163〜177日目（岩手県・宮城県）

小さな一歩。でも、確実な一歩

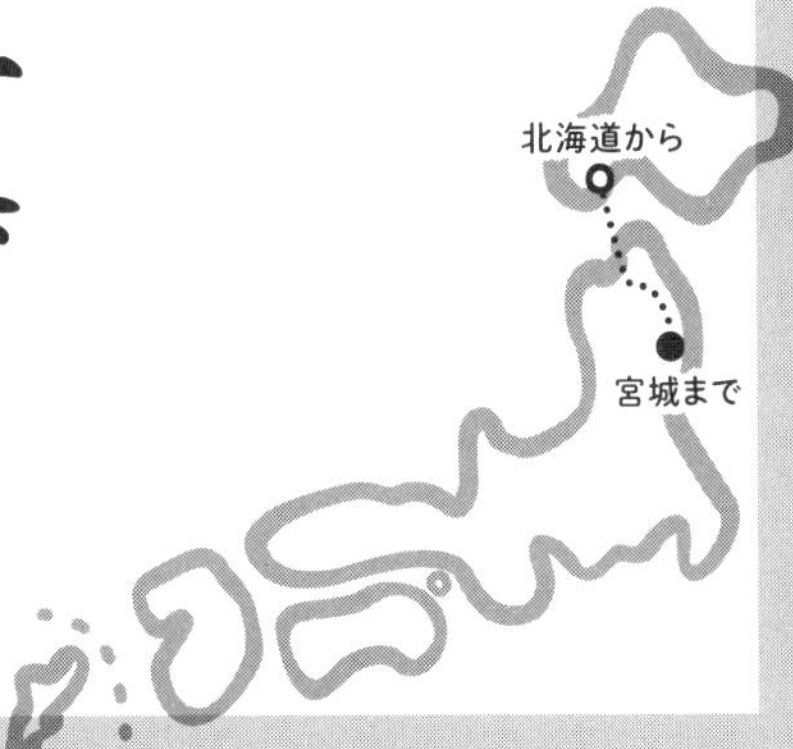

遺された人は一生懸命、生きなければならない

彩り豊かな自然が広がる北海道からフェリーで本州に。そして青森県大間町から太平洋側を南下し、岩手県に到着しました。

東日本大震災から4年の月日が流れたとはいえ、岩手県はまだまだ復興の道半ばでした。多くのダンプカーが砂埃を巻き上げながら走り、沿岸部では重機がせかせかと動いています。

「まだまだこれからだっちゃ。前向いていぐしかないっちゃ」

立ち寄った仮設店舗のおばあちゃんは、くしゃっとした笑顔で前を向いていました。

仮設住宅で出会ったおじいちゃんとも再会しました。

おじいちゃんは毎年、年賀状を送ってくれました。それだけでなく、ぼくの地元が土砂災害に遭ったときには誰よりも早く安否確認の連絡をしてくれました。

会うのは2回目ですが、大切な存在です。

「今年、引っ越したんだ。仮設住宅は壁と床にカビが生えて大変でな……」

お住まいの復興支援住宅は2階建てのため居住空間が広く、かつての陰鬱とした雰囲気は減少している気がしました。

「息子さんに、あいさつしてもいいですか」

そうお願いし、仏壇に手を合わせました。あらためて、**遺された人は一生懸命、生きなければならない**と痛切に感じました。

翌日も、風景からのメッセージを受け止めながら沿岸部を進みます。

4年前にがれき撤去のボランティアをした地区には、家がぽつりぽつりと建築されていました。大型スーパーも完成しており、住民のみなさんが買い物をされています。山のように積み上げられていた大量の廃車もきれいになくなり、その場所には木の苗が等間隔に植えられていました。

「前向いていぐしかないっちゃ」

県境を越えて宮城県に入ると、場所によっては手つかずの地域もあり、何かお手伝いしたいと強く思いました。

そこで南三陸町の漁師さんのもとを訪ねました。岡山県でお世話になったお茶畑の農家さんからご紹介いただいたのです。

「あのときの話、聞く？」

お手伝いをしているあいだに、漁師さんは当時の状況を話してくれました。目の前に広がる穏やかな海からは想像もできない話に、胸が苦しくなります。あまりにも残酷で、耳をふさぎたくなるような話もありました。

お手伝いを終え、漁師さんとともに帰宅すると、元気な子どもたちが出迎えてくれました。

「まあ、いろんな話をしたけど、この子らが助かったことがなによりだよ……」

じゃれあう子どもたちを、あたたかい眼差しで見つめていました。

翌週には石巻市へ向かい、4年前にお世話になったご家族のお宅にうかがいました。当時は1階に泥が流れこんで床がはがれていたため、2階で肩を寄せ合って生活されていました。3姉弟とともに、缶詰を食べた記憶があります。

4年ぶりに訪問したお宅は、きれいにリフォームされていました。保育所に通っていた長男君も小学生になり、心身ともにずいぶんと成長しています。

子どもたちとボール遊びに興じていると、「ごはんよー」とお母さんの声がしました。1階の食卓に、家族の顔が並びます。

「前にじゅんくんが来たころは、こうやってごはんが食べられるなんて思いもしなかったわね……」

お母さんの言葉に、歴史を感じました。別れ際には、「よかったらどうぞ」と缶詰をいただきました。みんな、前を向いていました。

「まだまだ、これからだっちゃ。前向いていぐしかないっちゃ」

追記

数日後、自転車の積み荷にメッセージが書いてあることに気がつきました。

「**小さな一歩。でも、確実な一歩**」

南三陸町の漁師さんからでした。岩手県、宮城県で出会ったみなさんは、言葉に重みがありました。勉強させていただき、ありがとうございました。

岩手県、宮城県で出会ったみなさん、ありがとうございました

南三陸町の漁師さんのもとで、お手伝いさせていただきました

エピソード⑦

スタートから186日目
（福島県）

わからないことは、自分から調べる

自分の無知を棚に上げる恥ずかしさ

海から吹く風が冷たくなってきた10月、宮城県から福島県へと南下しました。原発事故による放射線の問題が取り沙汰されていますが、放射線は色もにおいも痛みを感じることもありません。自転車から見える景色の中で、公園では子どもたちがキャッキャと遊び、コンビニの前ではサッカー部の練習着姿の高校生が談笑し、海の上ではおじさんがサーフィンに興じ、田んぼではもんぺを穿いたおばあさんが収穫の準備をしていました。時間とともに、不安や警戒心は減少していきます。

ぼくは、いわき市のとある小学校をめざしました。ご縁のきっかけとなった、2か月前の新潟県での出来事が思い出されます——。

8月6日（広島では平和記念式典がおこなわれる日）、新潟県長岡市にて。朝8時ごろ、広島県出身のぼくは黙とうを捧げる準備をしていましたが、駅前を行き交うサラリーマンはそそくさと通りすぎていきます。立ち止まっているのは、喫煙所で灰皿を囲む方たちだけでした。

ぼくは時計の針が15分を指したのを確認し、黙とうしました。1分後に目を開けると、そこには8時15分と変わらぬ光景が広がっていて、しこりのような強い違和感を覚えました。

しかし——駅の案内板に〝中越地震〟の文字が見えたとき、思わず足を止めました。

ある事実に気がつき、恥ずかしくなったのです。

つまり、中越地震がいつ、どこで発生したのか、まったく知らなかったのです。

無知を棚に上げ、自分が知っていることを知らない人を責めそうになっていたのを恥ずかしく思い、深く反省しました。

わからないことは調べよう、と思い、案内板を頼りに中越地震の資料館に向かいました。

朝いちばんに入館し、窓口のお姉さんに事情を説明します。

「中越地震のこと、何も知らなくて……」

お姉さんは館内の資料を使いながら、ていねいに説明してくれました。

ひととおり見学し、勉強したあと（奇跡的に救出された男の子の話が強く印象に残りました）、お姉さんに「どちらからお越しですか」とたずねられたので、「広島県から各地の学校を回りながら日本一周しているんです」と返答しました。「それでしたら、福島県の小学校を紹介してもいいですか？　子どもたちに、ぜひとも夢を届けてほしいです！」

お姉さんから気持ちを伝えられ、「ぜひ！」とお受けすることにしました。

元気な子どもたちとの出会いに感謝

目的地の小学校に到着しました。

双葉町にあった2つの小学校は原発事故で避難を余儀なくされ、いわき市内に仮設校舎が設けられました。生徒さんは2校合わせて300名以上いましたが、避難などの都合により9名にまで減っています。

教頭先生と対面し、校長先生にごあいさつしました。仮設校舎は1つでも、校長先生は2名いらっしゃり、校長室も2室あります。

校長先生から、現在の双葉町の小学校の写真を見せていただきました。グラウンドは校舎が隠れるほど、草ぼうぼうでした。

「子どもたちの運動不足が心配で……」

仮設校舎は通学範囲が広域のため、登下校はスクールバスを利用しています。さらには敷地の問題で校庭は併設されていません。校長先生の言葉を受け、運動がしにくく、児童のみなさんはストレスが溜まっていないのかなと心配になりました。

翌朝、５年生と６年生の計４名の児童のみなさんと対面しました。

すると心配ご無用といわんばかりに元気いっぱいでした。新潟県でご縁がつながって以来、定期的に風景の写真をメールで送信したり、電話でお話ししたりと交流していたので、親密になるまで時間はかかりませんでした。

出前授業の終盤、提案しました。

「自転車、見たい？　玄関に置いてあるから、見に行こうか！」

見たーい！　と手をあげる子を筆頭に、全員くつに履き替え、自転車のまわりに集合しました。４人とも前のめりになって興味津々です。走っている様子を見たいというリクエストに答えるべく、ぼくが自転車をこぎ、児童のみなさんといっしょに校舎とフェンスのあいだのわずかなスペースを並走しました。

「楽しかったなぁ！」

「ぼくもいろいろなところに行ってみたいなぁ！」

そうやって目を輝かせる児童のみなさんと出会えたことに感謝しました。少しでも勇気をプレゼントできていたら嬉しいです。

そして、このご縁のきっかけになった〝**わからないことは、自分から調べる**〟という姿勢を大切にしていきたいと思いました。

追記

福島県のつぎはルートを変更して茨城県常総市へ。水害が起きたためです。自分ができる限りのボランティアをしよう、と被害の大きい地域に向かいました。

ボランティア団体のおじさんから抜擢され、担当地区の運営を任されることになりました。住民のみなさんからのニーズの聞き出しやボランティアの引率、活動内容の説明など、初めての経験に見通しが立たずに四苦八苦でした。

最終日、おじさんはぼくの肩を叩き、やさしくて深みのある声で言いました。

「**ひとりでスコップを動かすのも大事だけど、組織として100人のスコップを効率良く動かせるように指示する人がいることも、とても大事**なんだよ。今回の経験で学んだことがあると思うから、もし自分の大切な場所に何かあったら、この経験を活かしてね」

夕日に染まるおじさんの横顔はたくましかったです。

「もちろん、そんなことが起きないことがいちばんなんだけどね」

茨城県常総市では、10日間活動しました

エピソード⑧

スタートから211日目
（栃木県）

やるかやらないか迷ったときは、やったほうがいいんじゃない？

失敗するのがこわかった

「おっ！　おもしろそうな兄ちゃんだな！」

11月、栃木県の国道を走っていると、仕事着姿のいきいきとしたおじさん3人組に声をかけられました。

自転車から降り、日本一周の旨とこれまでのエピソードを伝えると、「オレらが宿を用意してあげよう」と提案してくれました。

「カミさんが許してくれるだろうか……」などといった協議の末、澄んだ瞳が印象的なおじさんが「いいよ、わが家においで」と招いてくださいました。ありがたい限りです。

連絡先を交換したあと、おじさんたちは「じゃあ、またあとで」と仕事に戻りました。

「こんばんはー！」

その晩、おじさんのお宅にうかがいました。7人家族のみなさんとごはんをいただくあいだ、子どもたちからは旅についての質問が寸暇を惜しんで飛んできます。

さらに回答に加え、山奥で野生のシカに追いかけられた話、お寺でスズメバチに刺された話、9月に北海道で野宿したら朝の気温が2度で鼻水が止まらなかった話などをすると、小学5年生の長男君は喜んで笑ってくれます。

「ねぇ、ぼくの小学校にも来てよ！　明日！」

明後日には近隣の中学校での講演を控えていました。明日は予定がないので、小学校に行けないこともありません。

「……そうだな、行ってみたいなぁ」

あいまいな返事をしましたが、心の中には今までの失敗のために消極的になっている自分がいました。なぜなら、これまで急に講演が決まることは滅多になかったからです。ご縁のあった学校に資料を送付し、先生方が会議し、年間計画の日程に無理のないよう組み込めるか、講演内容が適切か否かを判断してもらい、やっと実現するのです。校長先生の鶴のひと声で決まることも数回ありましたが、基本的には数週間前に連絡しておかないと「急に言われても厳しいですね」と断られてしまうのです。

つまり、**消極的だった理由は、失敗するのがこわかった**からです。

行動を起こした長男君の勇気

「ここかぁ……」

翌朝、彼らの通う小学校の前を通ると、元気いっぱいの声が教室から漏れています。じんわりと、昨晩の長男君の提案を無駄にしたことを後悔してきました。

とはいえ、勢いという免罪符を使って校門をくぐるなんてことは容易にはできません。誰か気づいてくれないかな……と、ゆっくりゆっくり走り去りましたが、もちろん、気づかれないままでした。

すると夕方、驚くべき出来事が起きました。翌日に講演予定の中学校から電話が入ったのです。

「小学校に、連絡していただけませんか？」

今朝、後ろ髪を引かれながら通りすぎた、長男君の通う小学校に電話してほしい、とおっしゃるのです。何が起こったのかもわからないまま、おそるおそる、教えてもらった小学校の電話番号に発信します。

「あなたが高橋惇さんですか！」

電話越しに、小学校の校長先生は歓迎する口調で切り出しました。

「ぜひ明日、うちにも講演に来てください！」

えっ！　驚きで一瞬、何が起きたのかわかりませんでしたが、その後、事情を詳しく教えていただきました。今朝、校長室に長男君が突然やってきたというのです。

「いつもやんちゃばかりしている彼が、かしこまった様子でどうしたことかと思いましたよ。すると、彼が言うんです。『高橋惇さんを、学校に呼んでください』と。彼は高橋さんのことを一生懸命に説明してくれました。日本一周をしていること、日本一周が小学生のころの夢だったこと……そして最後に言うんです」

校長先生の口調に熱が帯びます。

「『**ぼくが聴きたいんじゃないんです。学校のみんなに聴かせてあげたいんで**

す！』って。私はね、彼の熱意に打たれましたよ」

翌日、午前は中学校で、午後はその小学校で講演しました。

長男君はひときわ姿勢を正して聴いてくれました。満足げであり、たくましい表情をしていました。

「彼のためにと思いましたが、子どもたち全員にとって良い機会となりました」

講演後の校長先生の言葉が嬉しかったです。ただ、この機会があったのは、長男君のおかげです。行動を起こした彼はすごいです。

「やるかやらないか迷ったときは、やったほうがいいんじゃない？」

出会った日の長男君の言葉が思い出されます。もしかしたら、誰よりもぼくにとって良い機会になったかもしれません。

追記

翌々週には埼玉県へ。スタート前から応援してくださっている先生のもとに向かい、高校で講演しました。放課後、ある野球部員が言いました。

「じゅんちゃん、ぼくの夢はホームランを10本打つことです」

お互い夢をかなえよう！　と約束したあと、野球部のみなさんに胴上げをしてもらいました

エピソード⑨

スタートから244～262日目
（東京都・千葉県）

〝あこがれ〟が、人生の指針になる

〃今〃のとらえ方で〃過去〃のとらえ方は変えられる

師走を迎え、手袋とカイロが命綱になりました。

寒いからといって重ね着をすると汗をかいて風邪をひくので、移動中は防寒着を脱いだり着たりと、体温調節に気を使いながら進んでいきます。手が冷えてきたまま自転車をこぎ続けていると、数分後には全身がその〃冷え〃に侵食されるのです。

野宿の際は、スーパーで段ボールをもらい、寝袋の下に敷きました。段ボールがあるのとないのとでは大違い！　地面からの冷気が遮断されるので、とてもあたたかいのです。

埼玉県から東京都に入りました。

お笑い芸人時代の思い出の地に戻ってきて、**つらい記憶しかなかった〃過去〃を肯定的にとらえている自分がいる**ことに気づきました。

なぜなら、あのときに学んだ社会人の基本（あいさつ・礼儀・気配りなど）やコミュニケーション術、話術などが今の自分の基盤になっていると気づいたからです。この経験から、**〝今〟のとらえ方次第で〝過去〟のとらえ方は変えられる**とわかりました。繁華街のビルの隙間に浮かぶ東京タワーが、なんだか以前よりも煌々と輝いて見えます。

ぼくは、お笑い芸人になりたいという夢を実現できませんでした。

しかし、その夢を追う過程で自分の基礎を固められましたし、本当にやりたいことは何なのか？　と葛藤する中でめざす方向性を明確にできました。

この気づきから、講演でも「**ベターな夢を追い続けることでベストな夢にたどり着くような人生でもいい**んだよ。だから、立ち止まってもいいし、悩んでもいいし、焦らず、自分のペースを大切にしてね」というニュアンスを話に加えることにしました。いきなりベストな夢に最短距離で行けることは、宝くじで高額当選することと並に難しい気がしたのです。そもそも自分自身の生き方が、寄り道ばかりですから……。

兄さんとのプチ同居生活

（……そうだ！）

ふと思い出し、1回目の日本一周時に出会った東京在住の〝兄さん〟に電話しました。兄さんと言っても血のつながった兄弟ではなく、岩手県でがれき撤去のボランティア活動を共にしたメンバーです。筋骨隆々で頼りになる、アニキです。

「よし！　うちに来い！」

受話器越しの言葉に甘えて、兄さん宅をめざします。都内は道路の左側に停車しているタクシーが多いので、こわがりのぼくは車にぶつからないようおそるおそる進んでいきました（車にひかれるのは御免です）。

「おせえなあ！　鍋が煮詰まっちまうぜ！」

再会した夜、兄さんはちゃんこ鍋を用意して待っていました。食器は1種類ずつしかないようで、ぼくはどんぶり茶碗を使わせてもらい、舌鼓を打ちました。

「風呂も使っていいぞ！」

お言葉に甘えてお風呂場へ。湯船に肩までつかると、内臓までふやけるような感覚とともに芯からあたたまりました。自転車移動中は冷凍ギョウザのように真っ白に冷え切っていた耳は次第に柔らかさを取り戻し、ピンク色に染まっていきます。

「こっちはオレの部屋！　そっちは、自由に使っていいぞ！」

口調は荒いですが、兄さんはやさしいです。

「何日いても、いいからな！　ゆっくりしてけ！」

都立高校での講演を終えると、年明けまで冬休みです。

一方、兄さんは朝から仕事、そして夕方からはトレーニングジムに行きます。ぼくは部屋に残り、毛布にほっぺたまでくるまって、ひとりの時間をのんびりと過ごしていました。低気圧がやってくると、布団とまぶたの重さが増すのはぼくだけでしょうか。

「コタツ、買ってきたぞ！」

「座椅子、買ってきたぞ！」

晩ごはんをつくって待っていると、兄さんは住環境を快適にするグッズを買ってきてくれました。

ただ晩酌が始まると、

「お前、何日この家にいるんだよ！　早く出てけよ！」

ときつい言葉が飛んできます。

ぼくは闘牛士のようにそれらをひらりとかわしていきます。なぜなら、翌朝出発しようとすると、「まだ行くなよ！　ゆっくりしてけよ！」と引き留められるからです。

「お前、日本一周する気ねえだろ？」

「まぁ、ぼちぼちいきましょうよ。時間は無限にありますから」

時間は有限と気づかされた出来事

1週間が経ちました。ここでの生活が、お互いにとって日常になっています。

この日もマーボーナス丼を食べたあとの食器をどちらが洗うかを決めるじゃん

けんをしていました。敗者のぼくが食器洗いを終え、携帯電話をのぞくと、温度をもたない文面がそこに並んでいました。突然の、訃報が届いたのです。

冷静な判断ができない中、兄さんの好意に甘えて、荷物も自転車もお宅に置かせてもらい、広島に向かう新幹線に飛び乗りました。

「……しばらく、ゆっくり寝とけ」

東京に戻り、涙も枯れて抜け殻のようになったぼくに、兄さんはやさしく声をかけてくれました。晩ごはんのあとは何も言わず食器を洗ってくれています。

ぼくの頭に「旅をやめる」ことがよぎりました。最優先順位に「生きる」を置くと、びゅんびゅんと車が行き交う道路や暗くて狭いトンネルの中を自転車で走ることや、見知らぬ土地にテントを張って野宿することが危険だと気づき、急にこわくなってきたのです。

無限のように思えた時間は、有限であることに気づかされました。

しかし、悩んだ末にたどり着いた結論は、「遺された人は、一生懸命に生きなきゃいけないんだ」という言葉でした。

「生きる」ためには、逃げずに、今しかできないことを毎日こつこつやるしかな

い――。抜け殻になっていた自分を奮い立たせました。

年越しに感じたあこがれ

大みそかを迎えました。

千葉県へ向かって出発する準備を進めます。

以前から兄さんには「千葉県の犬吠埼《いぬぼうさき》（日本国内でいちばん早く初日の出が拝める場所として知られています）で初日の出を見たい」と伝えていたので今朝、出発することを知っているはずです。ところが兄さんは朝からどこかへ行ってしまい、姿が見えません。

「……待たせたな！」

すると兄さんは、軽トラックに乗って戻ってきました。

「オレも行くぞ！　よし、助手席、乗りな！」

兄さんの勢いにのせられ、自転車を荷台に積み、犬吠埼へのドライブが始まりました。

「36年生きてきたけど、こんな年越しは初めてだぜ」

千葉県銚子市の犬吠埼に到着しました。軽トラックの横にテントを2つ並べて張りましたが、ぼくたちのほかに誰もいません。

日が暮れてからは、月がまぶしいくらいに輝いていました。月の輝きを際立たせる黒い空と黒い海……神秘的な雰囲気です。

「よし、メシ、食うか！」

兄さんのテントに2人肩を並べ、カセットコンロを置いて着火しました。家から持参した土鍋に、スーパーで買ったスープと豚肉、タラ、白菜をぶち込みます。白菜はワイルドに手でちぎったのでサイズがばらばらでした。ぐつぐつと煮えてきたら、右手と前歯を使って割り箸を割り、ヘッドライトの光を頼りに頃合いの具材を選定します。

おおっと、その前に乾杯です。兄さんは今か今かと缶ビールを片手に待機しています。

シュポッ。のどを潤したあと、ようやく豚肉をほおばります。

「はふはふ……ああ、んまっ！」

格別の味でした。兄さんも「んまい、んまい」とバクバク食べています。ぼくは、元気が出てきました。兄さんは言葉では言いませんが、ぼくの元気が出るようにわざわざここまでいっしょに来てくれたのです。そのやさしさに、ぼくもこういう大人になりたいなぁ、とあこがれました。

夕食を終えて兄さんのテントから出ると、冷気でぶるっと身が引き締まりました。夜空には、ぽつぽつと星が光っています。

鍋の蒸気であたたまっていた兄さんのテントとは対照的に、ぼくのテントは冷蔵庫の中のように冷え切っていましたが、満足と満腹のおかげですぐに眠れました。

明日は初日の出、見えるかなぁ……。

「おはよ！　起きてるか？」

6時ごろ、兄さんの声で目が覚めました。

昨晩とは一転、初日の出見たさに数百人が砂浜に押し寄せています。それぞれが寒さに震え、カイロを両手に握るなどの防寒対策をしていました。

ぼくたちは家から持参した座椅子に腰かけ、兄さんの淹れたインスタントコーヒーで暖をとります。それでも寒いので、これまた家から持ってきた毛布を体にかけて首元まで隠しました。

「これだけの人に見られて、緊張してんじゃねえのか？」

初日の出は予定よりも時間がかかっていましたが、緊張がほぐれたころに雲のあいだからすっと顔を出してくれました。

「あけましておめでとうございまーす！」

ぼくらは叫びました。太陽の日差しはじんじんと全身をあたためてくれます。指が動くようになり、血が循環しているのが感じられました。太陽は偉大です。

テントに戻り、昨晩の鍋の残り汁でつくった雑炊を食べていると、学校の先生をされているという爽やかなお兄さんに声をかけられました。

「もしかして、高橋惇さんですか？」

ツイッターをご覧になったという彼から静岡県で講演してほしいと依頼をいただきました。ありがたい限りです。新年早々、良いご縁に恵まれました。

その日は午前中に初詣をすませ、お昼は九十九里浜でのんびりと過ごし、夕方

は温泉に行きました。温泉から出ると、

「……オレももう1泊するわ！」

2夜連続、砂浜に居をかまえ、兄さんのテントで鍋をつつきました。

翌朝から兄さんとは別行動をとり、4日かけて千葉県沿岸部を自転車で時計回りに走りきり、また兄さん宅に戻りました。

この4日間はひとりで走るのが寂しかったです。気持ちを紛らわせるために年末年始にいっしょに過ごしてくれた兄さんに、あらためて感謝の気持ちでいっぱいになりました。

兄さんと見た初日の出

そして、神奈川県横浜市の小学校での講演に向かうため、いよいよお別れの日。

「いなくなって、せいせいするぜ！」

そんなこと言わないでくださいよ、と握手してから走り出しました。

ごつごつしていた兄さんの指の余韻が手のひらに残ります。

信号が赤になるたび、何度振り返っても、兄さんは腕組みをしてこちらを見ていました。

兄さんのような、やさしい男になりたいなぁ。あこがれの存在のおかげで、人生のめざす方向性が定まりました。

追記

元旦の約束どおり、静岡県で一般向けの講演会を開催しました。中学生からご年配の方まで幅広い年代の方がご参加くださいました。

講演後、参加されていたおじさんから「感動した！　ぜひ家に泊りに来てほしい」との誘いをいただいたので、ありがたくうかがいました。

おじさん宅には、ぼくが好きな千葉ロッテマリーンズのユニフォームが飾ってありました。玄関に野球のユニフォームだなんて、珍しいですね。

「……ああ、これ、息子なんだ」

なんとおじさんは、その選手のお父さんだったのです！

大みそかの、テント鍋

エピソード⑩

スタートから317日目
（三重県）

悩んでいるときが、
いちばん
成長している

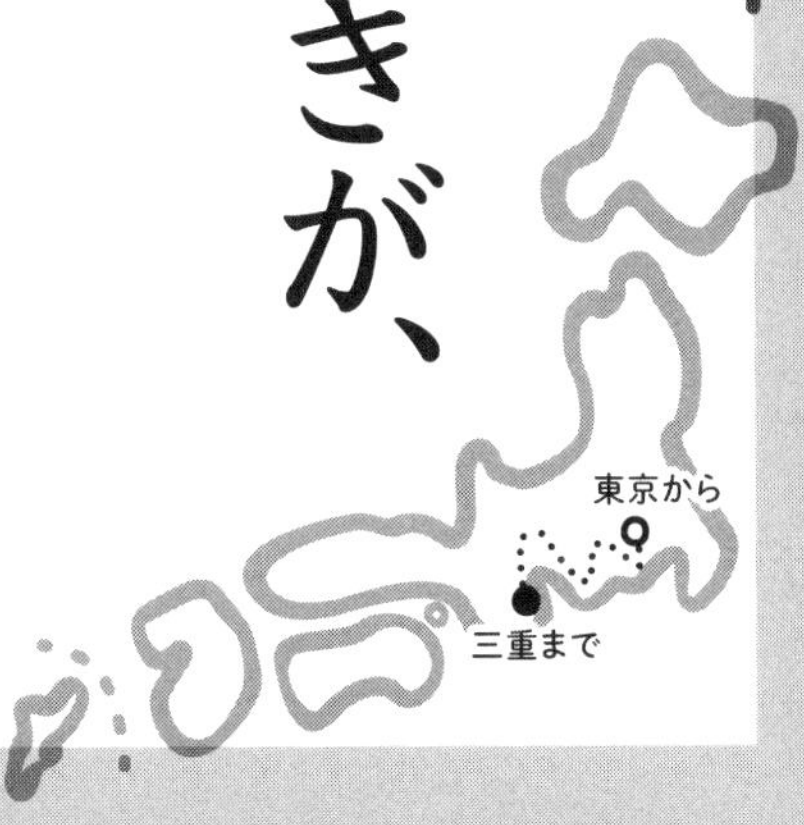

特別支援学校の生徒さんから、聴く姿勢を学ぶ

兄さんと別れてからは、関節がきしむほどの大寒波に震えながらも神奈川県、静岡県、山梨県、愛知県、岐阜県、三重県と西に進み、ご縁のあった学校で講演しました。途中、静岡県裾野市から見た富士山は拍手してしまうほど美しかったです。

スタートから約10か月。

講演の場を重ねることで経験値が増し、いい意味で余裕が生まれ、やっと子どもたち一人ひとりの表情が見えるようになってきました。序盤は環境に目がいきがちでしたが、一人ひとりに注視できるようになったのです。どの児童・生徒のみなさんも**内容に興味があれば真剣に聴き、表情も豊かになる**という点では共通していると感じました。

もっとも聴く姿勢がすばらしかったのは特別支援学校（聾学校）の生徒さんたちでした。補聴器と口の動きを頼りに聴き取るため、一語一句、取りこぼさない

よう五感を最大限に活用しているように感じ、その聴く姿勢はとても勉強になりました。

すぐに手を差し伸べず、見守る

先生方の対応を現場で体感することも、かけがえのない学びになります。

印象的なのは三重県の小学校での出来事です。午前中は全校児童への講演を開催し、お昼は高学年のみなさんと給食をいただきました。

「お昼休憩は、みんなで遊ぼう！　じゅんちゃんもいっしょに！」

ある児童の呼びかけにより、全児童が校庭に集まりました。

「ドッジボールしよ！」「サッカーしよ！」

それぞれのボールを持った2人が、「じゅんちゃんがどちらをやるか選んでほしい」とばかりに詰め寄ってきます。

「……そうだな、ドッジボールしよう！」

ぼくはサッカーがきらいなわけではありません。ただ、ある小学校でサッカーをしたときにシュートを外し、別の遊びをしていた女の子にあてて泣かせてしまった苦い過去があります。同じ過ちを繰り返さないようドッジボールを選択したわけです。全員でのドッジボールが始まりました。

「じゅんちゃん、本気で投げて！」という要望に応え、大人げなく本気で投げます。しかし、小6女子児童にいとも簡単に捕られてしまい、すぐさま投げ返されてあてられてしまいました。とほほ……。みんな笑っています。

全員、にこにこ笑顔で、ドッジを楽しんでいました。

……いや、全員ではありませんでした。

先ほどサッカーをしたいと言っていた男の子は、ひとりグラウンドの隅でサッカーボールを蹴っていたのです。フェンスに向かって蹴ったボールが、むなしく転がっています。

気づくのが遅かったと後悔しました。休憩時間の前半をドッジ、後半をサッカーと提案することもできたのに……。あるいは彼をドッジに誘うこともできたのに……。

昼休憩の終わりを告げるチャイムが鳴ると、彼はそそくさと教室に戻っていきました。どこかでフォローの声かけができればと思いましたが、チャンスは訪れないまま放課後になりました。

その日は教頭先生のお宅に宿泊させていただくことになったため、職員室で待機していました。「放課後、ぼくの家で遊ぼうよ！」と声をかけてくれた児童さんもいらっしゃいましたが、許可もなく校外で会うのは良くないと思い断りました。

「なにモジモジしとんの！」

すると、職員室のドア越しに女性の先生の声が聞こえます。ある男の子に活を入れているようでした。

「自分で言わな、じゅんちゃん来てくれへんで！」

ふと窓の外に目をやると、玄関にそれまでなかった子ども用のマウンテンバイクが停めてありました。どうやら、その男の子はぼくと近所をサイクリングしたいようですが、職員室に入ってお願いする勇気はないようでした。

ぼくのほうから寄り添ったほうがいいか迷いましたが、先生方の様子を見るにつけ、ここで待っていたほうが良いと判断しました。10分以上経ちましたが、まだ入ってきません。

「……しつれいします」

消え入りそうな声でした。

職員室のドアを開けたのは、なんと、昼休みのサッカー少年君でした。「じゅんちゃんいますか」と続きます。

「いっしょにサイクリングしたいんですけど……」

ぼくは「ありがとう。ただ、ぼくときみが外で遊ぶためには校長先生の許可がいるよ」と伝えました。彼はさらなる課題にモジモジしていましたが、もう一度、勇気を振り絞って校長先生のもとに向かいました。

がんばれ！　と思いながら彼の背中を見守ります。


彼は、はちきれんばかりの笑顔で、まちを案内してくれました。芝生の広場、牧場、海、神社へとサイクリングしました。

「こうやってお参りするんやで！」

ぼくが「へぇ〜、そうなんだぁ！」と感心するたびに、彼はいろんな知識を教えてくれました。

別れ際にはたくましい表情で「じゅんちゃん、ばいばーい！」と手を振る彼。

サイクリングできてよかったと思いました。

ぼくは、先生方の姿勢から、**すぐには手を差し伸べない**ことを学びました。

全国各地のお宅に宿泊させてもらったとき、多くの親御さんは子育てについて悩まれていました。栃木県で宿泊させていただいたお宅での「目に入れても痛くない、という言葉があるけど、子どもは目に入ったら痛いんだ。だからついつい言っちゃうんだよ……」というお父さんの言葉は象徴的に記憶に残っています。

この〝ついつい言っちゃう〟気持ち、すごくわかります。

しかし、そこをぐっと耐えて、子どもを悩ませて、かつ、あたたかく見守ることが、いちばんの愛情なのかなと思いました。

悩んでいる時間がいちばん成長するのです。これは自分自身にも言えることかもしれません。

これからは、**悩んだときは〝今、成長しているぞ〟と前向きにとらえる**ことにします。

追記

コンビニの前で休憩していると、あるおばあちゃんがぼくに聞こえないような声で、お孫さんに言い聞かせていました。

「いいかい、ああいう人になっちゃだめだよ」

ごみを散らかしたり、地べたに座り込んだりとだらしなくしていたわけではもちろんありません。おそらく、ぼくの生き方自体を否定したのでしょう。正解はわかりませんが、そのように解釈しました。

自分以外はみな先生です。その言葉を素直に受け止めました。たしかに、今のぼくは修行中です。周囲のみなさんのおかげで生活できているため、自立で

富士山は拍手してしまうほど美しかったです

きているわけではありません。

「ああいう人になりなさいよ」と見本にしてもらえるようになるには、この**旅の経験を活かして、将来、何をするか**が重要になります。

この時期から、ゴール後の将来について真剣に考えるようになりました。自分がやりがいのもてる、〝本当にやりたいこと〟をかたちにしたいな——と。

エピソード⑪

スタートから322〜325日目（和歌山県）

人との出会いは宝物

成長した子どもたちと再会する喜び

「おおお！　じゅんちゃんや！」

旅する先生プロジェクトの準備段階でもお世話になった和歌山県の小学校を再訪しました。身を潜めていたぼくの存在に気づいた男の子は、スクープを見つけた新聞記者のように教室に向かって声を張ります。

「じゅんちゃんが……帰ってきたー！」

教室を飛び出した子どもたちは、われ先にと走ってきます。

ぼくの体を触る子、ハイタッチを求める子、飛びはねる子、それぞれ感情表現は異なれど、喜んでいることは明白でした。

スタート前に訪問したのが1回目、スタート後の6月に自転車とともに訪問したのが2回目、そして今回が「ぼくらが卒業するまでに、また来てや！」という6年生たちとの約束を守るべく3回目の訪問です。3月上旬だったので、ぎりぎり間にあいました。

6年生は最高学年の自覚からなのか、大人っぽさが増しています。……そうそう、プレゼントしてくれた子に報告しなきゃ。

「ミサンガ、今も付けてるよ！」

右足首に付けたミサンガは老犬のように落ち着いたたたずまいでぼくを守ってくれています。

「えっ、そんなんあげたっけー」

照れながら答えた女の子は、ほっぺを赤くしていました。

登校できた児童の報告に喜び

その日は、1時間目から各学年の教室で旅の中間報告の授業をしました。

最後に訪れた4年生の教室では、担任の先生と児童のみなさんが、なにやら準備しているようでした。

「じゅんちゃん！　子どもたちが待っていますよ！」

廊下から教室まで、手と手を合わせた児童さんたちによるトンネルが開通していました。身をかがめてトンネルをくぐり、教室に入ると、黒板には特大のポスターが。

そこには、ぼくがSNS上に掲載した写真が印刷されて貼られています。写真のぼくの口からは「やったー！」や「がんばるぞー！」といった、子どもたちによる吹き出しが付け加えられてありました。

見惚れるぼくを、子どもたちはにやにやしながら取り囲みます。せーの、という合図で、

「じゅんちゃん、おかえりなさーい！」

ここから黒板に書かれたプログラムに沿って楽しい時間が展開していきました。参観してくださった保護者のみなさんにも、先生にも、子どもたちにも、感謝するばかりです。

日本一周スタート前には自信のかけらもなかったぼくを子どもたちは受け入れてくれ、価値を与えてくれただけでなく、今回も大きな感動を与えてくれました。彼ら彼女らと再会することで、よりいっそう**人との出会いは宝物**だと思いました。

ほかの小学校にも再訪し、講演会をおこないました。その際、先生がある事実を教えてくれました。

その学校には、登校しにくくなっていた児童さんがいたようです。講演の前日、先生が「明日、じゅんちゃん来るからね」と伝えたら、その児童さんは当日、久しぶりに登校してくれたというのです。

「じゅんちゃんのおかげだよ。その子、前回以上に、とっても楽しんでたよ」

追記

雨宿りをしていると、リヤカーを引きながら歩いて日本一周している74歳のおじいちゃんと出会いました。

「50歳のときにテレビで見た旅が楽しそうだったから、ぼくもしたくなってね。ただ、奥さんや孫の生活費は貯めなきゃ旅に出られないから、その日から大工の稼ぎを貯金することにしたんだ」

とても魅力的な話です。

「23年かけて家族の生活費を用意して、73歳のときに日本一周をスタートしたんだ」

なんで日本一周しようと思ったんですか？　とたずねると、衝撃的な回答が。

「……いやぁ、**若いうちにしかできないからね！**」

勉強させていただきました。**いくつになっても、「今日」がいちばん若い日**なのです。

子どもたちにもらった特大のポスター。
ありがとう!

エピソード⑫

スタートから359～393日目
（熊本県）

経験値が活きるときがくる

熊本地震発生——急きょボランティアに

もうすぐスタートから丸1年、ふたたび春がやってきました。桜並木を通り抜けたあと、ピンク色の花びらが前輪にくっついてくるくると回っているのを見ています。なんだか微笑ましいです。春は、人を笑顔にする季節ですね。

和歌山県から京都府、鳥取県、島根県と進んで山口県に足を踏み入れた晩のことです。人目につかない場所にテントを張り、こそこそと物音を立てずに寝袋に入りました。山陰地方特有のアップダウンの激しい道の移動で、お箸を持つのもしんどいくらい疲れていたので、夕食を食べずに19時半に眠りにつきました。

どれほど時間が経ったでしょうか。目を覚ませといわんばかりに、携帯電話が鳴っています。誰からだろう、と寝ぼけまなこで画面をのぞくと、各地で出会ったみなさんからメールが届いていました。

「地震、大丈夫ですか？」

翌朝、携帯電話の画面上に残るメッセージが、昨晩の出来事が夢ではないことを物語っていました。

情報を求めてたどり着いた道の駅のテレビでは、熊本地震のニュースが流れています。キャスターの表情からうかがえる緊迫感。熊本県はとんでもないことになっているようです。

今いる山口県から熊本県に到着するのは40日後の予定でしたが、決断しました。熊本に、行こう――。

各校での講演は予定どおり開催しながら、可能な限り、熊本県でボランティア活動に取り組もうと決めました。

とはいえ、どの自治体も「ボランティアの受付は開始しておりません」とのことでした。

災害直後はどこも混乱しているでしょうから、焦らず、関門トンネルを通って九州へ向かいます。

その日、福岡県の門司にて支援物資の仕分けをしている場所の情報をつかんだのでそこに行き、全国から送られてくる段ボールを、中身によって食品、水、衛生用品などに分類する手伝いをしました。

「段ボールが届くたびに涙腺が緩むんです」

いっしょに作業した大学生は、熊本出身とのことでした。ぼくは彼のぶんまでできることをやろうと決意しました。

経験値があると、見通しを立てられる

翌日には、小倉方面へと移動しました。市内中心部に近づくにつれて道路が複雑に絡みあっていて、地図を見ていても道に迷ってしまいます。困ったときは教えてもらおうと、近くにいたお姉さんに声をかけました。すると、ミラクル体験が！

「すみませ……えっ、えー！！！」

なんと、5年前に岩手県で震災のボランティアに参加した際、活動を共にしたボランティア団体のお姉さんだったのです！　お互い目を見開いて驚きました。予想だにしなかった再会です。

お姉さんに事情を伝えたら、「私たちは熊本県西原村を拠点にしているから、

おいで」と誘ってくれました。これもご縁と思い、決めました。西原村をめざそう。

緊張感とともに、西原村に到着しました。ところどころで被害が見受けられます。

1階部分が潰れた家屋からは瓦がはがれ落ちて道路まで流れ、山からの土砂や巨大な岩石が道をふさぎ、揺れに耐えきれなかった道路には亀裂が走っていました。

目で見て肌で感じると、テレビや新聞からでは伝わらないほどの衝撃で胸が痛みます。

その日からボランティアセンターの立ち上げと運営に携わりました。昨年活動した茨城県常総市とは状況が違いますが、常総市のボランティアでの経験値が活きました。ボランティアセンター運営についての話し合いに参加していても、めざす方向性が理解しやすいのです。

あのときと、あの部分はいっしょだな、この部分は違うな、と自分なりに見通しを立てられるのです（これは勉強でも同じです。見通しが立つと理解が進みますが、そうでなければ何をしていいのかさっぱりわかりません）。

常総市では見通しがつかずに困った経験をしましたが、今となってはその**経験が財産**となりました。**経験値は活きるときがくる**のです。

約3週間、微力ながらボランティアセンターの運営を手伝いました。

具体的には、担当地域の住民のみなさんからニーズを聞き出し、活動に必要な人数を決めます。活動当日は、集まったボランティアのみなさんに状況や注意事項を説明したのち、ニーズごとに人数を振り分け、準備した資材とともにボランティアを活動場所へと車でお連れします。

活動が始まったら事故のないように見回りながら共に作業し、活動終了後はボランティアのみなさんの送迎、進捗状況の確認、報告書の記入、そこから翌日の活動のためのニーズの聞き取りをおこなう、といった流れです。

地元住民のみなさんの想い、そして全国から熱意をもって集まるボランティアのみなさんの想いを考えると、とても責任を感じる立場でしたが、それを毎日続けられたのはペアを組んだ地元の社会福祉協議会のお姉さんのおかげです。

お姉さんは、自らも被災して今もテント生活だというのに、いつも周囲に気を配り、笑顔を絶やすことはありませんでした。どこに行っても愛される住民のアイドルで、あたたかくやり取りする姿を見るたびに、こういう人になりたいなぁ、と思いました。

「大変だけど、少しずつやっていくしかないわね」

お姉さんの笑顔が、ぼくの支えでもありました。

「毎晩、ごはんのときに高橋くんの話をするのよ。娘も会いたいって言ってたわ」

鹿児島県での講演に向かうため、出発することにしました。

ぼくが西原村でできたことは〝小さな一歩〟かもしれません。でも、〝確実な一歩〟として貢献できていたら幸いです。

お別れの日だけは、上京する息子を見送る母親のように寂しそうな表情を浮かべていたお姉さん。最後にツーショット写真を撮りました。

「……また、来なんね」

写真は携帯電話の待ち受け画面にしました。西原村で体験したことや学んだことを、全国の子どもたちに伝えよう、という決意を忘れないためです。

追記

熊本県山鹿市での出前授業後にお手伝いしたイチゴ農家さんは、海外で働いたあと、30代になってから日本で農業をスタートしました。今は最難関といわれる〝無農薬のイチゴづくり〟に奮闘しています。

どうして無農薬のイチゴをつくりはじめたんですか？　と聞くと、

「息子がさ、おいしいイチゴのショートケーキが食べたいって言ったんだ！　じゃあ、父ちゃんが最高にうまいのをつくるよ、と約束したんだよ」

西原村で体験したことや学んだことを、全国の子どもたちに伝えよう

エピソード⑬

スタートから427日目
（鹿児島県・沖縄県）

背中を追ったら がんばれる

財布も膨らんで、友だちの輪も膨らんでいる生き方

「おめ、こんなとこで何やってんだ？」

熊本県西原村から鹿児島県に向かう途中、とんでもない山道を気絶しそうになりながらAKIKOさんを押していたときのことです（AKIKOさんは冬よりも荷物が減ったとはいえ60キロ近くあります）。

車から降りたダンディなおじさんに声をかけられました。おじさんは熊本県の被災地へ車を寄贈しにいった帰りとのことでした。

「鹿児島に着いたら、うちに来いよ！」

必ず行きます！　と約束し、名刺を交換して別れました。住所を調べたらあまりにも遠かったので愕然としましたが、翌日から定期的に「まだ来ないのか！」と電話をくださったので、そうやって声をかけてくれることへの感謝を行動で示すべく、遠回りになっても行こう！　と決めました。

鹿児島県霧島市の高校での講演を終えた翌日、吉永さん（ダンディなおじさん）

のもとに到着しました。

「本当に来るとは思わなかったね！」

喜んでくれた吉永さんは、「疲れてるだろうから、ぬくもってきな」と温泉に連れていってくれました。さらにはお昼ごはんには高級しゃぶしゃぶをごちそうしてくれました。

「今夜は仲間を呼んでるから、みんなでごはん食べよう！」

その晩——居酒屋に集結した吉永さんの仲間たちは、年齢も職業も幅広く、外国人の方もいらっしゃいました。

笑顔でわいわい盛り上がる様子を見て、**財布も膨らんで、友だちの輪も膨らんでいる**吉永さんにあこがれました。

翌週には鹿児島新港から奄美大島へとフェリーで渡り、奄美の自然と島民のみなさんのあたたかさに触れる3日間を過ごしたあと、さらに13時間かけて沖縄本島に上陸しました（フェリー代は、愛知県にて青年会議所からいただいた寄付を利用しました。ありがたい限りです）。

上陸して間もなく、突然の豪雨と自転車のパンクに歓迎されました。びしょ濡れになったものの、天候はどうしようもありません。**最高のすべり出しだなぁ！と前向きにとらえる**ことにしました。

「いちゃりばちょーでー！」

沖縄県ではチアキさんという活発でスポーティなお姉さんが、マネージャーのように事前に講演先や宿泊先を手配してくれました。そのおかげで、小中高あわせて5校での講演と毎晩の宿を確保できました。初対面にもかかわらず尽力していただき、感謝するばかりです。

ぼくが「何から何まですみません」と謝るたびに、チアキさんはいつも「**いちゃりばちょーでー！（すれ違った人は、みんな兄弟だよ！）**」と返してくれました。意味を知ったら、その言葉が大好きになりました。

那覇市内のある小学校では、講演後に、児童のみなさんや先生方、保護者のみなさんが集めたという熊本地震の募金を預かることになりました。

「ぜひ、熊本に届けてください！」

と依頼されたので、九州に戻ったあとに西原村まで自転車で運ぶことを約束しました。ずいぶんと遠回りになりますが、直接持っていったほうが児童のみなさんも嬉しいに違いありません。だから喜んで引き受けました。

沖縄県での最終日の朝――。

鹿児島新港行きのフェリーに乗り、窓から沖縄の町並みを眺めていると、

「……チアキさんだ！」

港から手を振ってくれています。ぼくはデッキに飛び出し、大きく手を振り返しました。出港したフェリーはかたつむりのようにゆっくりとしたスピードでぼくたちの距離を離していきます。じんわりとした遅さに胸がはりさけそうでした。

チアキさんも、沖縄本島も見えなくなったころ、涙がほろっと出ました。携帯電話には、「ちょっと泣けたさー」とメッセージが届いていました。

苦手なことも、歯を食いしばれた理由

約26時間後、鹿児島県に到着しました。バケツをひっくり返したような豪雨で、警報も発令されています。

移動するのはいやだなぁ、と思いながらもカッパに着替えていたら、電話が鳴りました。吉永さんからです。

「この雨じゃあ移動できないだろ？」

「正直、厳しいですけど……」

「よし、待ってろ！」

2時間後、車で迎えに来てくれました。帰宅後、奥さんはびっくりされていました。

「この雨の中、港まで行ってたの？　運転するの、いつもはきらいなのに……」

吉永さんは、何も答えません。

「ほんと、がんばってる若者が好きなんだねぇ」

黙って背中を向けている吉永さんの横で、奥さんは笑っていました。

翌朝も大雨でしたが、カッパを着て出発しました。今日のうちに宮崎県まで移動しておかないと、西原村に募金を届けられないからです。

雨は一日中やみませんでした。しかし、約束を守るためには弱音を吐いていてはだめだ、とあこがれている吉永さんの背中を追うようにがんばりました。するると、苦手な大雨の移動なのにがんばれるのです。途中、吐き気に襲われたものの、気合いで宮崎市まで移動しました。

「無事に着きましたよ！　宮崎市まで来ることができました！」

めざす背中を追うことで歯を食いしばれたのです。受話器越しに、吉永さんは少しだけほめてくれました。

「おめ、こんなとこで何やってんだ?」から始まったご縁に感謝するばかりです

追記

沖縄県の小学校のみなさんからお預かりした募金は、熊本県西原村に無事に届けることができました。お世話になったお姉さんとも再会できました。

正直、疲労困ぱいでしたが、西原村のみなさんの表情を見たり、沖縄県の先生方の電話越しの声を聞いたりすると、心から思えました。

「がんばってよかったぁ……！」

無事届けたよ～！

エピソード⑭

スタートから463日目
（高知県）

きっかけで、変われる

「いっしょに、旅する？」

7月、長崎県平戸市の中学校で講演したあと、福岡県、山口県を通過して四国に上陸しました。ゴールまで1か月を切り、複雑な心境です。充実するほどに継続したくなって、このまま日本3周目をしたいとさえ思えてきます。

四国では、全国ネットのラジオに出演したことがきっかけで複数の学校からの講演依頼をいただき、ピンボールのように四国4県を所狭しと走り回りました。

そんなある日、きっかけは突然訪れました。

「すみませーん。もしかして、高橋さんですか？」

高知県の交通量の多い道路を慎重に走っていたら、車を路肩に停めた女性がぼくに向かって手を振っています。

「新聞記事とかＳＮＳとか見てました。まさか本人に会えるなんて！」

興奮気味に話しています。感謝して頭を深く下げました。

「じつは息子が不登校で……。うちに来て、会っていただけませんか？」

まさかの展開です。突然の依頼に戸惑いましたが、カンボジア人のお姉さんの「恩返し」と沖縄のチアキさんの「いちゃりばちょーでー！（すれ違った人は、みんな兄弟だよ！）」が頭をよぎり、快諾しました。

お宅に到着し、中学生の息子さんと対面しました。表情は暗く、突然現れたぼくに対して強く警戒しています。その気持ちはよくわかったので、質問などの声かけはなるべく控え、微笑みながらソファにのんびりと座っていました。

お母さんは、ぼくが自転車で日本一周していることを息子さんに説明しています。

「うちの子も、自転車乗るのが好きでね……」

そこで、彼に提案してみました。

「……じゃあ、いっしょに旅する？」

人との出会いはこんなにも楽しい

後日、待ち合わせ場所に彼はやってきました。愛用の自転車に乗って、にやけそうになるのをこらえているようです。

「おはよ！　よろしくね！」

肩を叩くと、彼は大きく首を縦に振りました。

「よし！　じゃあ、室戸岬まで、出発進行！」

室戸岬までの約70キロ、1日限定、2人だけの自転車旅が始まります。

「楽しみだね！」と声をかけると、「うん」と返事がありました。

彼のペースがわからないので、まるで初デートのときのように何度も振り返りながら、無理のないように気を使いながら先導します。

普段よりもゆっくり走り、海を見渡せる場所で1回目の休憩をしました。

「つぎはぼくが後ろにつくから、好きなスピードで進んでいいよ！」

再出発後、彼は嬉しそうにペダルを強くこぎはじめました。すると、あれっ、速い……レースをしているような速度で彼はびゅんびゅん進んでいくのです。その秘めたる才能にほれぼれしながらも、ぼくは離されないように、ひぃひぃ言いながらついていきます。普段の2倍近いスピードなので、太ももがぷるぷるします。

すると、出発時に晴れていたのがうそのように、粒の大きな雨が降ってきました。急きょ2回目の休憩をします。雨宿りをしながら、彼はスマホでゲームをしていました。GPSを利用しているゲームです。

「……せっかくやし、ダウンロードしたんや」

どうやらこのサイクリングが本当に楽しみだったみたいです。はじめは緊張していましたが、徐々に表情も柔らかくなっていきます。

30分ほどで雨が弱まったので、「行こう!」と意気込む彼に引っ張られるように旅を再開しました。休憩中に「ほんと速いなぁ、すごいわぁ!」と賞賛していたからか、彼はよりいっそう速度を上げていきます。

小雨も気にせずにするすると進んでいく彼を必死に追いかけたのですが、ついに姿が見えなくなりました。とほほ……。

ぼくは、2人でサイクリングがしたいのだ!

はぁはぁ言って合流したら、彼は鼻歌交じりに涼しい顔でサイクリングを楽しんでいました。きっと、ぼくがついてきていないことに気がついていなかったのでしょう。彼の自転車とぼくの自転車をひもで結びたくなりました。

雨と汗でシャツもズボンもびしょ濡れの中、室戸岬に到着しました。彼のおかげで予定より3時間も早い到着です。

「楽しかった？」と声をかけると、達成感のある表情で、

「ほんま楽しかったわぁ〜！」

にやっと白い歯を見せた彼は、スタート前より精悍な顔つきになっています。

体を休めるべく、温泉に行くことにしました。彼は着替えを持っていなさそうだったので、「これ、今日の思い出にプレゼント」とご当地Tシャツを買ってあげました。

湯船につかると、じんわりと疲れが抜けていき、心も体も回復していくのがわかります。思わずにやけてしまいました。彼もにやけています。

「明日は筋肉痛やなー」

露天風呂での、**彼の自信に満ちた表情**が忘れられません。

今回の旅をきっかけに、彼の表情はみるみる変わっていきました。**きっかけがあれば、人は変わります。**

心の奥の奥でもかまわないので、〝**達成感の気持ちよさ**〟〝**いっしょに挑戦する**

楽しさ〝〟人との出会いのおもしろさ〟の小さな種が芽生えていたら嬉しいです。

また走りたいなぁ。そのときまでに、ひも、用意しとこう。

追記

徳島県の彼とも再会しました。以前出会ったときより、顔つきが大人っぽくなっていました。

彼は、生きるきっかけを与えてくれました。そのきっかけのおかげで、ぼくも変われました。

ぼくもがんばらなきゃな。

2人の自転車旅、
自信につながって
いたらいいな

エピソード⑮

スタートから474日目

（広島県）

終わりは、つぎなる物語の始まり

小学生時代の夢は間違いじゃなかった

スタートから474回目の朝——。

遠足の前日のように目がさえていたのでまったく眠れず、深夜3時に起床しました。本日18時に広島城にゴールする予定です。

スタート前から、ゴールは8月5日と決めていました（ゴールを8月5日に設定し、そこから各都道府県10日間ずつの470日を逆算してスタートしたつもりでしたが、4日ズレが生じていました。おっちょこちょいの数え間違いです）。

朝食を食べながら、お気に入りの映画のエンドロールを眺めるように、最後の最後まで旅を楽しもうと決意しました。

広島県の尾道市から、三原市、竹原市、呉市と通過します。地元に近づくにつれ、見覚えのある学校や駅、お店が増えていきました。

「部活の試合で来たこの中学校って、こんなに近かったんだ……！」

「聞き慣れた駅名だけど、ここにあったんだ……！」

旅先での〝知らないことを知る発見〟とは違い、地元では〝知っているつもりだったけど本当は知らなかったことを知る発見〟の連続でした。まだまだ知らないことが多いです。

あらためて考えると、これまで通り続けてきた道は（北海道や四国、沖縄、各地の離島などは船での移動もありましたが）基本的にすべてつながっていました。

小学生のときに感じた、**自分の住んでいる世界の外側に広がる〝別の世界〟は、自転車で行けた**のです。

そして「Nの方向に進んだら」、本当に北海道にたどり着きました。**あのときの発想は間違いではなかった**のです。

「お前の人生、まだ始まってもないやないか」

そして、ついに――。

8月5日18時、広島城に到着しました。あらかじめ告知していたので、多くの方が出迎えてくれるかもなぁ、という淡い期待がありました。到着時間も予定どおりだし、かっこつけながらゴール地点に指定していた広場に向かったものの……誰もいませんでした。

ぼくは、思わず笑っちゃいました。あぶないあぶない、また天狗になるところでした。

「……じゅんちゃーん！」

すると、なんということでしょう。講演した学校の生徒さんが徐々に集まってきました。福岡県の先生や兵庫県の先生もいらっしゃいます。総勢10名のみなさんがゴールテープを持って出迎えてくれました。なんと幸せな光景……。

ぼくは勢いよくゴールテープを切りました。

総移動距離1万3150キロの旅が、終わりました。

1周目と同じく、**「一歩ふみだしてよかった〜！」という達成感**に満たされています。

みなさんに感謝のあいさつをしていると、ベンチで倒れこんでいる男性がいることに気がつきました。見覚えのある自転車……なんと、旅の序盤に貸してもらっていた、あの「アキコさん」に乗って、シュンイチ君がやって来ていたのです！
「じゅんさんのゴールを見たいなと思って昨日の22時に大阪を出発し、20時間で３００キロ走ってきました。ただ、一睡もしてないから熱中症になっちゃって……」

くすっと笑ってしまったけれど、実直な彼なりの表現方法が心に響きました。

実家に帰宅後、全国から届いた手紙を１つずつ開封しました。宛名を見るたびに思い出がよみがえります。
「ぼきんをとどけてくれてありがとう！」

沖縄県の小学校からも寄せ書きのポスターが届いていました。

出前授業をした福岡県の保育園からはぼくのイラストの塗り絵が、淡路島の小学校からは寄せ書きの色紙が届いていました。あらためて、子どもたちとの出会いはかけがえのない宝物です。

お世話になった方々には、電話でゴールの報告をしました。
「カレンダーを見ながら、ゴールしたかな〜と思ってたよ、本当におめでとう！」

山形県のラーメン屋の奥さんは、あのときのままのやさしい声で祝福してくれました。

「しっかり休養してね。親孝行もするんだよ」

熊本県西原村のお姉さんは労をねぎらってくれました。

「じつはな……今日、子どもが産まれたんだ」

鹿児島県の吉永さんは、感極まった声で教えてくれました。待望の双子の赤ちゃんが誕生したのです。その声を聞いて、ぼくもうるうるしちゃいました。

日数をかけて一人ひとりに連絡しましたが、もっとも印象的だったのは兵庫県姫路市で晩ごはんをごちそうしてくれたおじさんに「ゴールしました。無事に終わりました!」と電話した際の返事の言葉です。

「終わりました!

……って、なに言うてんねん。

お前の人生、まだ始まってもないやないか。

こっからが本番や。まぁ、がんばれよ」

ひとつの物語の終わりは、つぎなる物語の始まり。

ぼくは、今回の経験を通して得た「人との出会い」「経験値」「知恵」を活かして、つぎなる挑戦に挑みます。

新たな挑戦に一歩ふみだすのには不安もありますが、見上げた空に勇気づけられました。

なぜなら、同じ空のしたには、全国で出会ったみんながいますから――。

追記①

両親の名前の漢字を一文字ずついただき、自転車の名前を「AKIKO（アキコ）」にしました。AKIKOのおかげで事故なく旅ができました。

ここまで育ててくれた両親に感謝するばかりです。ありがとうございます。

追記②

8月5日にゴールしたのは、翌日の平和記念式典に参加するためです。ゴールを見届けてくれた全国からお越しのみなさんとともに、黙とうを捧げました。

無事に旅を終えられたことを感謝するとともに、つぎなる挑戦を誓いました

2度の自転車日本一周の合計記録

移動距離：21990キロメートル（おおよそ地球半周分）

日数：795日

パンクの回数：約40回

事故の回数：0回

泣いた回数：数えきれません

感謝した回数：もっと数えきれません

idomy!

第3部

「イドミィ」という、つぎなる物語

2度の自転車日本一周の旅で得た「人との出会い」「経験値」「知恵」という3つの宝物。

この貴重な財産を活かし、新しい教育のしくみをつくろうと一歩ふみだしました。

ひとりでも多くの子どもたちに「一歩ふみだせる環境」を提供するために——。

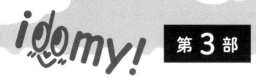

子どもたちが「一歩ふみだす」ためには？

子どもたちに「一歩ふみだす勇気」を与えるためには、言葉で伝えるだけでなく、「一歩ふみだせる環境」をつくる必要があるのでは？

――日本一周の終盤、講演活動をしていくうちに思いはじめました。

そこで日本一周後は、**「子どもたちが一歩ふみだせる環境」をつくろう**と決めました。その環境を利用した子どもたちが、多種多様なチャレンジに一歩ふみだせたら、3つの宝物に加えて、充実した人生に導く目印である「夢」を見つけられる、と思ったのです。

具体的に、2つの方法を考えました。

1つ目は、**「子どもたちが本物に触れる機会を提供すること」**です。

日本一周を通じて、挑戦するたびに**実際にやってみて初めて学んだこと**がありました。**実体験こそ最大の学び**だったのです。実体験で得た経験値はぼくの基盤となり、知恵が生まれただけでなく、当たり前だと思っていたものへの感謝の心などが養われました。

とくに大自然に触れる**「アウトドア体験」**と仕事やお金に触れる**「職業体験」**ができる機会を提供したいと思いました。どちらも心身の成長に必要な学びですし、将来の夢や方向性を考えるきっかけになるからです。ぼくは旅のあいだに11種類の職業体験をしましたが、どれもが刺激的であり魅力的でした。

「子どものころに体験していたら夢の選択肢が増えて、人生も変わっていたかもしれないなぁ……」と感じています。そんな体験を子どもたちにも経験させてあげたいのです。

2つ目は、**「学校に通えない子どもたちに心の居場所を提供すること」**です。

徳島県の彼や高知県の彼との出会いなど（この本には掲載していませんが、長崎県で保健室に登校されている生徒さんと話をしたことや、退学せざるを得なくなったヤンキーの兄ちゃん姉ちゃんと公園で談笑したこと、高知県にて不登校の女子中学生と2日間過ごしたことも印象に残っています）から、〝居場所〟について考えるようになりました。

彼ら彼女らはそれぞれ異なる境遇の中、とても繊細で、不安な思いを抱えて悩んでいました。そんな**一人ひとりを認め、受け入れ、夢や希望を抱くきっかけを与えられる心の居場所**をつくれたら、と強く思いました。心の居場所がないと、夢も描きにくいからです。

「しくみ」をつくる

ぼくは学校の先生をめざしていたので、2つの方法を実現するために必要なことは何なのか、全国で出会った先生方に相談しました。ところが……

「残念だけど、じゅんちゃんのやりたいことは学校の先生になったらできないと思うよ」と言われたのです。

しかし、あきらめませんでした。日本一周のあいだに学校以外の教育の場にも足を運んでいたからです。NPOやフリースクール、塾など多様な形式があり、そこで実際の様子に触れたことが経験値になっていました。今となっては大きな財産です。

そこで、柔軟な発想で**新しい「しくみ」をつくろう**と考えました。

この考えに至ったのにも2つのきっかけがあります。

1つは、**茨城県での「スコップ」の話**です。ひとりでできることには限界があるけれど、しくみをつくって集団を効率良く動かせるようになると、ひとりでは不可能なことが可能になると学びました。

そしてもう1つは、「**人生は有限**」だということです。限りある人生の中で自分ができることは限られていますが、しくみを残せば、それが維持される限り半永久的に、次世代の子どもたちに恩恵を与え続けられると気づいたのです。

株式会社ティーチ・アンド・ジョイ設立

それらのしくみを実現するためには、母体が必要です。お世話になっていたおじさんに、株式会社をつくったほうがいいと言われたので、よくわからないまま設立しました。

子どもたちが「楽しく、学ぶ。」ことを目標として「ティーチ・アンド・ジョイ」と名づけました。２０１７年４月、株式会社ティーチ・アンド・ジョイの誕生です。

平日には、実践を通じた探究型学習に特化した塾を運営し、子どもたちに基礎学力と社会に出て必要な「まわりの人を大切にする力（あいさつ・礼儀・気配り）」と「自分を大切にする力（自信）」を得られる機会を提供します。

土日には、アウトドア体験や職業体験などの、「子どもたちが一歩ふみだし、本物に触れる機会」を提供していきます。

拠点は、大学時代の青春の地である兵庫県神戸市に教室を借りました。将来的には全都道府県に展開するのが目標です。教室の名前は、「イドミィ」です。

挑むから、「イドミィ」です。I will do my best！の略でもあります。

夢に向かって、「イドミィ」で一歩ふみだす

「夢」は充実した人生に導く目印であり、同時に「実現することでみんなを幸せ

にするもの」だと思います。

淡路島の小学生の挑戦と達成を聞いたときの喜びは最たる例です。

ほかにも、埼玉県の高校で夢を教えてくれた野球部員から嬉しい報告をもらいました。最後の夏の大会でサヨナラホームランを打ったというのです。それが**夢をかなえた10本目のホームラン**だったと聞き、幸せな気持ちで満たされました。

今後もみんなで幸せを共有していきたいです。

中学生のときに宿った「悩んでいる子どもたちを、笑顔にできる先生になりたいなぁ」という夢は、次第に自分にとってベターからベストへ近づいています。

「一歩ふみだす機会」や「夢を発見する機会」「心の居場所」の提供を通して、目の前の子どもたちに笑顔を届けること——。

それがつぎなる物語であり、ぼくなりのみなさんへの恩返しです。ぼくも幸せを共有できたらと思います。

これから始まる**小さな一歩が確実な一歩**になり、ひとりでも多くの子どもたちに夢と希望を与えられるよう、今を一生懸命に生きていきます。
みんな同じ空のした――それぞれの道で、それぞれのペースで、今しかできないことを、毎日こつこつやっていきましょう。

第3部
idomy!
「イドミィ」という、つぎなる物語

それから4年経ち……

「じゅんちゃん！　じゅんちゃん！　じゅんちゃん！」

勢いよくドアを開け、ランドセル姿の子どもたちが教室に入ってきます。

「食といのちのクイズ大会しようや！　オレ、図書室で本借りてきてん！」
「ワタシはYouTube撮りたい！　こないだ撮った動画、まだ、高評価少ないし」
「織田信長の本貸して。信長の物語、続きが書きたい」
「ねえねえじゅんちゃん、おかしの箱で、家をつくってみたい」

矢継ぎ早にやってみたいことを話す子どもたち。その瞳はきらきらしています。
輪の中心で、眠そうな目とぼさぼさ頭のおっさんが、返答します。

「おっけい。やってみたいこと、やってみよか！」

――2回目の日本一周の旅から4年が経ちました。今は2021年の1月です。

おっと、申し遅れました。私は、じゅんちゃんと日本一周の旅をした、自転車のAKIKOです。

自転車日本一周の旅を終え、この4年間で大きく変わったことが3つあります。私はそれらの変化を、教室の片隅から見てきました。

1つ目は、「イドミィ」です。

じゅんちゃんは小さな習い事の教室を始めました。「イドミィ」という、ちょっと変わった塾です。「テーマ探究クラス」という名前のクラスでは、「子どもたちのやってみたいこと」を実現させています。

この4年間、じゅんちゃんは子どもたちが一歩をふみだすサポートをしていました。

本の出版、ドキュメンタリー映画の撮影、ハンバーガーショップの店長体験、カードゲームづくり、メディア出演、YouTubeへの投稿、工作やアートなど、子どもたちの多種多様な「やりたい！」を応援し、背中を押してもらった子どもたちはみな一様に目を輝かせて取り組み、見事にやり遂げていました。

じゅんちゃんはいつも言います。

「おっけい。やってみたいこと、やってみよか！」

旅を終えたあとの「子どもたちが一歩ふみだせる環境をつくりたい」という夢を、本当に実現させたのです。

ほかにも、「子どもたちが本物に触れる機会を提供すること」も、「学校に通えない子どもたちに心の居場所を提供すること」も実現させました。詳しいことは……このあと、イドミィの子どもたちにインタビューしていただくので楽しみにしておいてください。

イドミィがスタートしたとき、生徒はたった4人でした。

それがいまや平日90人、土日60人が参加しています。チラシは1枚もまかず、口コミだけでこれだけ増えました。

最近は新聞やテレビで取り上げられることも増え、先日はNHKの朝のニュースで特集されました。まわりのみなさんからは、彼の活動は順調に進んでいるように見えていることでしょう。

2つ目に大きく変わったのは、彼の考え方です。

この本にあるように、じゅんちゃんは日本一周で大事なことを学びました。その学びが、4年間の実体験でさらにパワーアップしたのです。

具体的には、はんこを押すときに汗がふき出た起業からはじまり、子どもたちとの時間（いっしょに悩み、泣き、笑い、楽しみ、彼ら彼女らの成長を感じたことなど）、保護者のみなさんとの時間、スタッフさんとの時間、そして、ひとりの時間。多くの時間で経験したすべての事柄です。

旅という非現実的な時間で学んだことが、社会という現実的な空間でも活用され、ブラッシュアップされたのです。

ただ、順調そうに見える裏で、波瀾万丈な経験をしていました。失敗や挫折やおっちょこちょいを、人知れず経験していたのです。じゅんちゃんはそのたびに、私にまたがって遠くへと走るのでした……。

イドミィでの日々の具体的な学びについては、来年新たに本を出版する予定のようです。
悩んでいる方、迷っている方、落ち込んでいる方の背中を押す1冊になりそうです。私も知っているたくさんのエピソードは、そこでお披露目ということですね。ぜひ楽しみにしておいてください。
それでは、その本でまたみなさんにお会いできる日を楽しみにしています。

……えっ、3つ目の大きな変化？
すみません、言い忘れていました。それは彼のおなか回りです。日本一周のあと、すっかりぐうたら生活が板につき、手足はがりがり、おなかはぽっちゃりしてきました（スタッフさんにからかわれるたびに、息を吐いておなかをへこませているのを私は知っています）。髪の毛もぼさぼさだし、いつも眠そうです。

「ちょっとAKIKOさん！　読者のみなさんに何を伝えているの！」

あっ、聞こえていたみたいです。

「ほら、このカンペを読んで!」

じゅんちゃんは、イドミィの子どもたちの授業準備やイベント準備に集中するあまりにやせていき、髪の毛を整えるヒマもないようです。ストイックな姿は魅力的で、かっこいいです。イケメンです。

「ちょっと声が小さい気がするけど……よしよし、んじゃ、授業行ってくるわ!」

……子どもっぽい性格は相変わらずのようです。
それが子どもたちを惹きつける魅力かもしれませんね。
今日もにぎやかな1日になりそうです。

GIOS
PURE
GIOS
GIOS
GIOS

推薦の言葉

私がじゅん君と出会ったのは、和歌山大学教育学部附属小学校の5年生の担任をしているときでした。和歌山を好きになる子どもを育てるために地域教育に力を入れていたこともあり、まちづくり経済学者として知られる和歌山大学副学長の足立基浩先生から紹介していただいたのです。

私の専門の社会科は人との出会いから学びを得ることも多く、夢に向かってチャレンジしているじゅん君を子どもたちにぜひ会わせたいと思いました。クラスで話してくれた内容は、おもに日本一周時の経験や学びです。優しい人と出会った話、こわい経験をした話、失敗して学んだこと……そんな話を聞いた子どもたちは一瞬で彼を大好きになり、「夢をもってがんばれば、自分もかなうかも」「人との出会い、大切にしよう」と感じてくれているようでした。

実際、少しクールだった女の子がじゅん君と出会い、感情を素直に表現できるようになったんです。夢の大切さを知った彼女は今、医師をめざしてがんばっています。

コロナ禍の今、休校などをきっかけに、学校に来にくくなっている子どもたちが増えています。この本を通じて「こんな大人もいるんだ」と知ってくれたら、きっと勇気が出てくるはず。夢を抱いて挑戦するすばらしさ、伝えることの大切さを本書で学び、一歩ふみだすきっかけにしてもらえたら嬉しいです。

和歌山市立楠見小学校　校長　梶本久子

おわりに

この本を手に取っていただき、ありがとうございました。

あなたは何歳ですか？
どこに住んでいますか？
やってみたいこと、ありますか？

あなたがいくつであろうと、どこに住んでいようと、変わらない真実があります。
それは、「今日という1日は、あなたにとっていちばん若い日」だということ。
若いうちにしかできないこと、今しかできないこと、どんどんやっていきましょう。
今しかできないことは、今しかできませんからね。

ぼくも、一歩ふみだします。

「イドミィ」という実践に特化した習い事を磨いていきます。

イドミィは独自の取り組みで、子どもたちに夢の小さな種と一歩ふみだす勇気を届けています（巻末にどんな挑戦をしたか載せているのでご覧ください）。

実体験を通じて「探究心」「思考力」「創造力」「積極性」「粘り強さ」「協調性」を伸ばす教育スタイルの実践者として、これから一歩も二歩もふみだしていきます！

最後になりましたが、この本を全国出版する機会をくださった高橋武男さんに深くお礼申し上げます。

そして日本一周中に全国で出会ったみなさま、イドミィを通じて出会ったみなさま、これまでご縁のあったすべてのみなさまのおかげで今の自分がいます。ありがとうございます。まだお会いしたことのないみなさまとのご縁も楽しみにしています。

お互いが一歩ふみだした未来で、宝物をゲットしたあなたに会える日が楽しみです。

２０２１年１月　年始のライブ配信を終えて　高橋惇

イドミイ
って?

What's idomy?

What's idomy?

イドミィって？

この本を読んだ子どもたちが、じゅんちゃんのまわりを囲みます。

じゅんちゃん！教えて〜！

はい。なんでも聞いてください。どんな質問にも正直に答えます。

イドミィって最初は株式会社だったんやね。
じゅんちゃんが社長なの？

あ、いきなり恥ずかしい質問……。じつは、最初につくった株式会社は3か月くらいでつぶしました……。よくわからないまま、人にオススメされたのでつくりましたが、不必要でした。50万円くらい損をしました……。とほほ……。

自分できちんと調べることが大事だなと感じました。

ということで、じゅんちゃんは社長ではありません。ただのおっちょこちょいです。

日本一周してたの知らなかった。
今も一歩ふみだしてるの？

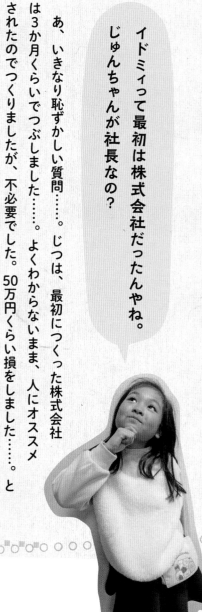

たしかに、あまり過去の話はしないから、知らなかったね、ごめんね。
もちろん、今も一歩ふみだしていますよ！
今は、「子どもたちが一歩ふみだすためのお手伝い」に全力を注いでいます。
そのためにイドミィをつくったわけですからね。

アウトドアや職業体験って、やってるの？

イドミィって、学校に行ってない子も来てるの？

お、第3部に書いてある内容を読んでくれてありがとう。有言実行してます！

どんな挑戦をしてきたの？


いい質問をありがとう。

ではここから、これまでにイドミィの子どもたちが一歩ふみだした挑戦の一部を紹介します！

挑戦①

「ええねんず」との本づくり

平日の午前中、学校に行っていない小中学生が通えるクラスを開いています。

クラスの名前は「ええねんず」。自分らしく！　でええねんず、好き！　をきわめてええねんず、一歩ふみだしゃええねんず、たまには休んでええねんず——

そんな想いを込めて命名しました。

ある日、ひとりの男子中学生が言うんです。

「学校に行く意味がよくわからへんのんや……」

そこで、「それならオトナに聞いてみよう！」と提案しました。

——学校って行ったほうがええんかなぁ？

——行かなかったら、どうなるんかなぁ？

——好きなことばっかりしてちゃ、いけないんかなぁ？

——社会に出て必要な力って、何なんやろなぁ？

といったアンケートを作成し、100人の大人のみなさんに答えていただきました。その回答はとってもまっすぐで、正直で、心に響く内容でした。彼にも感じるものがあったようです。

せっかく集めたその回答を、1冊の本にまとめました。『学校休んでええんかな？』というタイト

書籍『学校休んでええんかな?』の表紙

ルを付け、自費出版で販売しました。

全国13万人(当時)の不登校生の1%にあたる1300人にこの本を届けたい、という思いになったので売り続け、2021年1月現在、900冊売れています(今もイドミィのHPで販売中)。

制作を手がけた小中学生は心のエネルギーが溜まったのでしょう。ひとりは「明日から学校行くわ」と学校に通いはじめ、もうひとりは「英語の勉強を本格的にやりたいから英会話教室に行く」と宣言してイドミィを旅立ちました。

イドミィは学校に行っていない子どもたちにとって、心のパワースポットなのです。

挑戦②

「ええねんず」で体験活動

平日の午前中のクラス「ええねんず」は、出席認定がいただけるようになりました。つまり、「学校の代わりにイドミィに来たら、学校の出席扱いになる」ということです。画期的です。

2021年1月現在、10名の小中学生が在籍しています。山や海、釣り、スケート、バーベキュー、お菓子づくり、ケーキづくりなど積極的に体験活動を実施しています。平日午前中なので、どこに行っても空いていて快適です（笑）。

小中学生たちの癒しの場です

挑戦したら、アップルパイも上手にできました

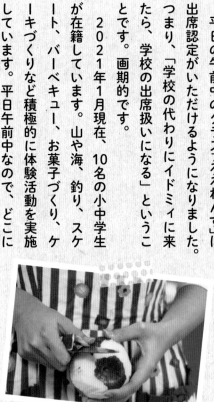

挑戦③

小学生男子6人組で、本の制作

平日放課後の「テーマ探究クラス」でも、本を制作しました。9か月かけて完成した本のタイトルは、『はたらくって、なんやろな？』。多様な仕事のプロ10名にインタビューしたり、実際に職場見学したりした様子をまとめ、最後にはオリ

やった！
釣れた！

海を眺めながら
家族以外のオトナと
語り合うのも、
大切な時間です

ジナルで考えた「世界の困っている人を助ける仕事」を載せた1冊です。売り上げは折半し、ひとり1万円でした。持ち帰った子どもたちはホクホク顔でしたが、「9か月がんばって1万円だけか……お金を稼ぐのは大変だな」とも言っていました。実践的な良い学びです。

出版をきっかけに、新聞取材やラジオ出演もありました。生放送中に子どもたちがラジオDJに「ギャラはいくらですか?」「じゅんちゃんはタイプですか?」と聞いたときには冷や冷やしました（笑）。真摯に答えてくださったDJさんに感謝するばかりです。

カバー付けも自分たちでおこないました

書籍『はたらくって、なんやろな?』の表紙

ラジオ出演も!

お金を稼ぐのは
大変だけど……
成果が出たら嬉しいな!

自分たちで
お金を
生み出しました!

神戸小学生
フェスティバルでも
活動報告しました

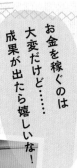

挑戦④

SDGsを学んだことで、コンテストで入賞

2019年度の「テーマ探究クラス」では、SDGs(Sustainable Development Goals〔持続可能な開発目標〕)を軸に、「世界の困りごとを解決する方法」を探究しました。そして、せっかく考案したアイデアは、コンテストなどに応募することを提案しました。その結果……。

7人が日本一！ 5人が国際コンテスト入賞！ 4人が全国コンテスト入賞！ 19人が兵庫県内のコンテスト入賞！（2021年1月現在）。

子どもたちは可能性に満ちあふれています。それを最大限に発揮した結果です。素晴らしいです！

地球の海に、ごみ、イルカ？

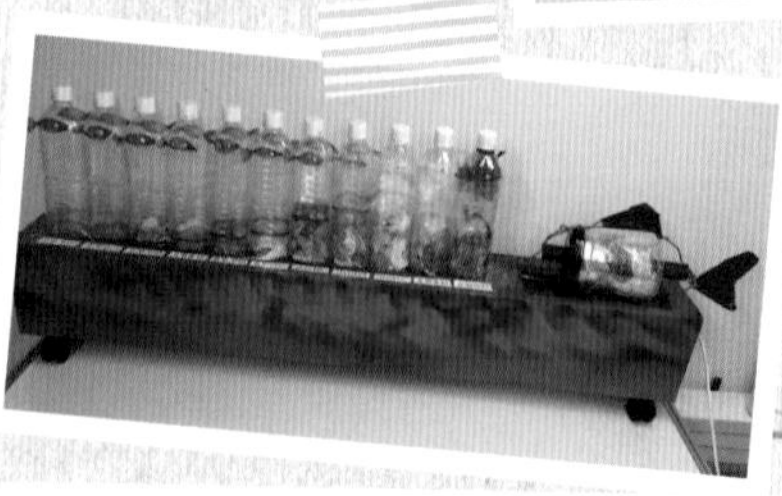

海洋プラごみ削減啓蒙アートで優秀賞！

国際コンテストで入賞！

世界中に
幸せを届ける
ハピネスデリバード

『第5回 夢のいきもの大募集!!』
特別賞受賞作品

リサイクル品でつくった
未来のランドセルと勉強机
（都道府県も古切手で作成！）

世界の困りごとを
解決する
「ペンギン7」

実験動画で
日本一に！

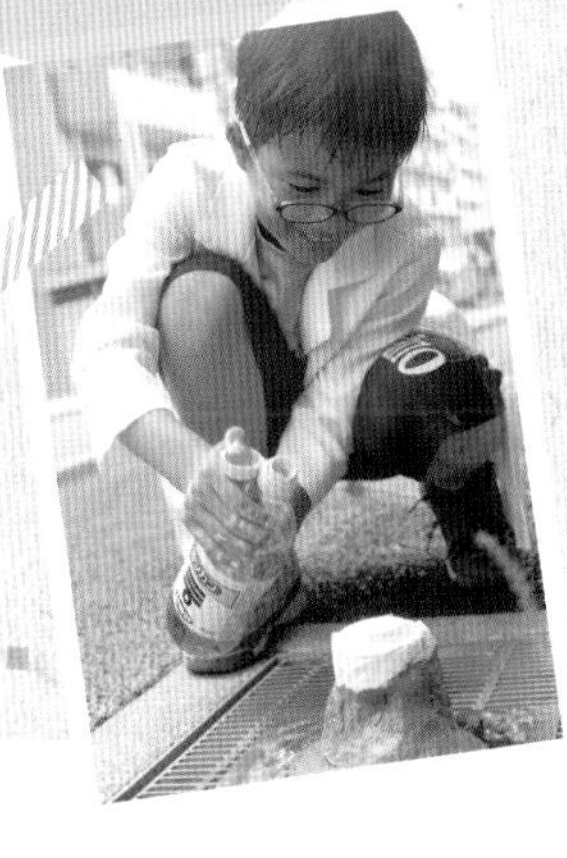

日本のフードロスを
世界へ届ける
ベルトコンベヤー

挑戦⑤

「食といのち」のドキュメンタリー映画制作

2020年度の「テーマ探究クラス」のテーマは、「食といのち」に設定しました。その軸の中で、子どもたちはやってみたいことを言います。魚をさばいてみたい！　きのこを育ててみたい！　回転寿司屋さんをやってみたい！　クイズをつくりたい！　外遊びをつくってみたい！……。

子どもたちのやってみたい、をかなえていったら、どうなるのか。

その様子を、ドキュメンタリー映画にまとめました。映画館を貸し切った上映会は大盛況！　スクリーンに映る自分の姿を見た子どもたちは、嬉しそうであり、どこか誇らしげでした。

授業はいつも
大もりあがり！

「ソーセージを
つくってみたい!」
よし、やってみよう!

映画館での
上映イベントでは
舞台挨拶もしました

「チーズフォンデュを
つくってみたい!」
よし、やってみよう!

「魚をさばいてみたい!」
よし、やってみよう!

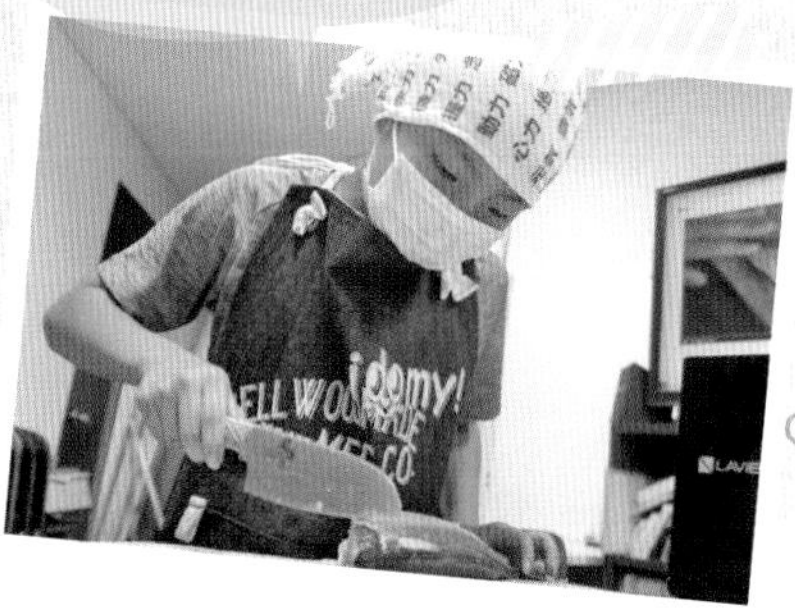

挑戦⑥

JICAで働きたい女子中学生の夢を応援

「JICA（国際協力機構）で働きたい」と語る中学生。その夢をかなえるために一歩ふみだそうと提案しました。挑戦に前向きでしたので、どんどんアクションを提案しました。

まずは、Googleで働く女性にメンターになっていただき、定期的にミーティングをしました。今できることを明確にした結果、休日にJICA関西センターを訪問したり、実際にJICAや青年海外協力隊として活動した方をイドミィに招待して話を聞いたりしました。テレビ通話を利用して、エチオピアで活動する女性とオンラインで話もしました。次第に夢が明確になっていきます。

フィジーで活動した女性と話したあと、中学生は言いました。

「うち、フィジーに行ってみたい！」

そこで現地での実践を明確にしてからクラウドファンディングを立ち上げ、夢に向かって一歩ふみだしました。

経験談を聞いたら、やってみたい夢が明確に

新型コロナウイルスの影響で渡航は実現できませんでしたが、彼女は夢の続きにいます。アフターコロナの時代に、彼女が世界で活躍することを、イドミィの教室のPCから知ることが楽しみです。

英語でスピーチもしました

現地の写真を見るとイメージが膨らみます

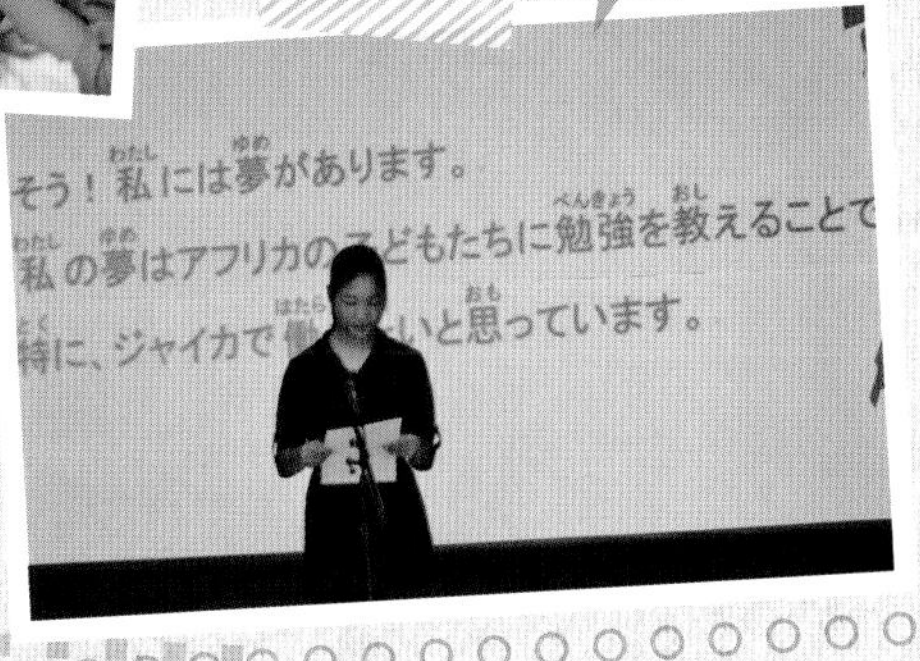

挑戦⑦

「お金もうけがしたい」小3男子が1日店長に!

「お金を稼ぎたいねん。むふふ……」

不敵な笑みを浮かべる小学3年生の男の子。そこで彼が店長になって1日限定のハンバーガーショップを開店しました。

すると大行列ができ、2時間で60人近くのお客さんが来店してくださいました。店長はお友だちやイドミィのスタッフをアルバイトとして雇い、仕事を分担しお店を立派に回しました。

2万円を売り上げ、4000円の利益を出すことに成功。ところが喜びも束の間、興奮した店長がはしゃいだ結果、イドミィのかべに穴をあけてしまいました……。

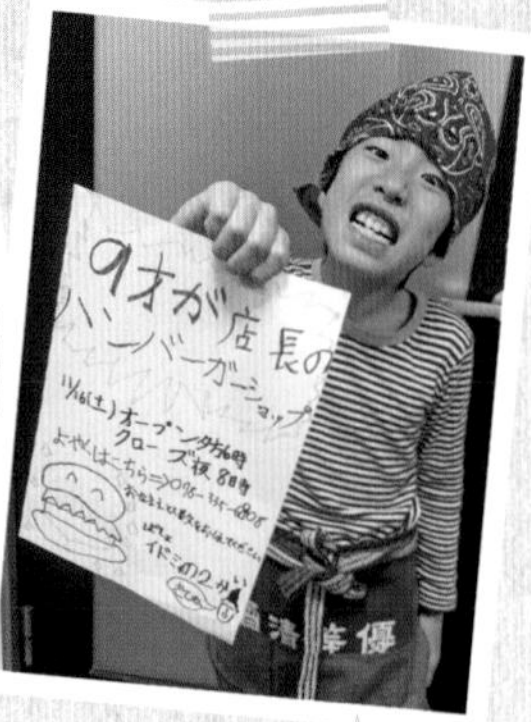

自筆ポスターで集客!
店長、気合い十分です!

お店は
だいはんじょう!

その修理代は4000円。店長は利益を1円も得ることはできませんでした……（笑）。

お金を稼ぐ楽しさと、利益を手にすることの難しさの両方を学べる良い機会になりました。

挑戦⑧

土日には、年間30回のアウトドア体験！

大自然から学ぶ体験も、実施しています。「イドミィパスポート」と名付け、多彩な体験をすることで、経験値と知恵をゲットして、夢のパスポートにしてほしいという想いです。

頭ひとつ分背伸びして、ちょっと困難なことにチャレンジして乗り越えた

挑戦のあとは、とっても良い表情です！

子どもたちは、とっても良い表情をしています！　参加した子どもたちは、達成感、粘り強さ、協調性、探究心、心身の強さ、感性、そのすべてをゲットしています。教科書だけでは得られないチカラです。

一度会ったら友だち。
みんなでレッツゴー！

崖の山道も、
勇気を出して挑戦！

挑戦⑨

教室の中でも外でも、興味のある職業を体験

「この職業、興味あんねん……」

そんなつぶやきが聞こえたときには、一歩ふみだし、その職業のプロをイドミィに招待します。これまで、救急救命士さん、画家さん、商社マン、ペットの殺処分ゼロをめざすNPOの方々などをお招きしました。

「めっちゃ強くなりたいねん」という中2男子たちのために、ボクシング世界王者も呼びました。

2020年は、農家さんとパン屋さんに行きました。自分で収穫した野菜を使ってパンづくり。

「食べるのはちょっとの時間なのに、つくるのにはこんなに時間がかかるんだ……」

いい気づきがあって、何よりでした。

自分たちで採った野菜のっけパン！

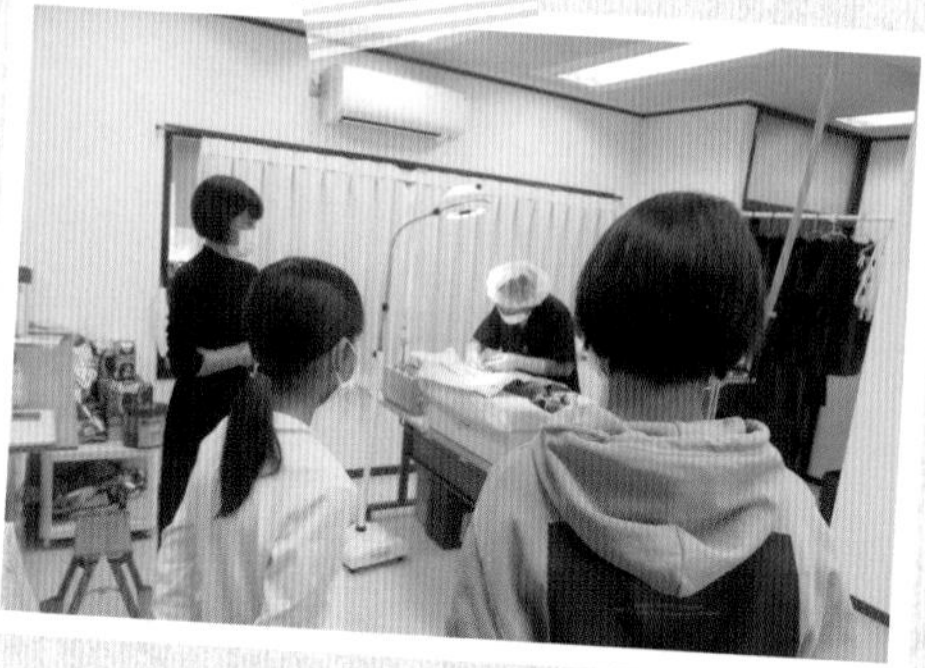

お話を聞いたあとは、
実際に見学にも
行きました

農家さんのもとで、
稲刈り体験！

「すごいでしょ！」
実体験を通じて、
食の大切さに気づきました

誰ひとり笑顔にできないまま挫折していった元お笑い芸人は、一歩ふみだすことで、何人を笑顔にできたでしょう？

日本一周中に出会ったみなさんや、学校で出会った子どもたちもいらっしゃるので正確にはわかりませんが……答えは次のページです！

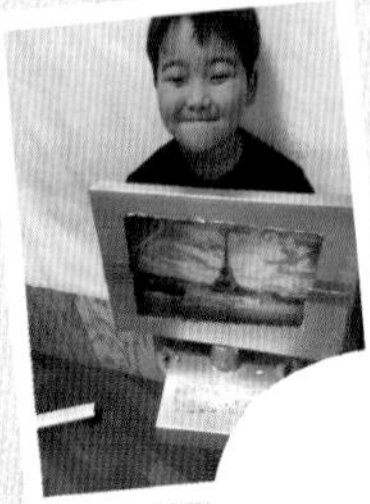

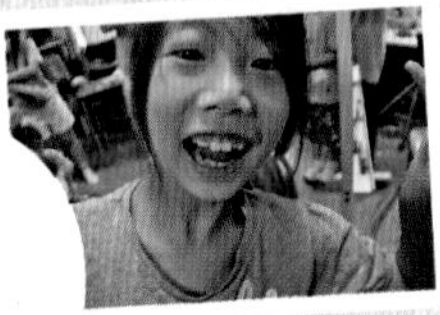

一歩ふみだし、笑顔満開の子どもたち！

The children's smiles

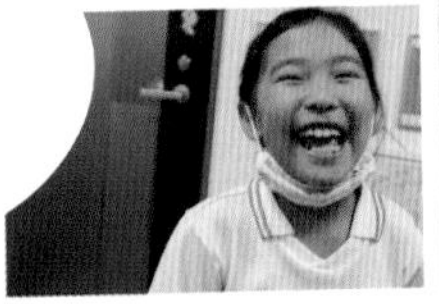
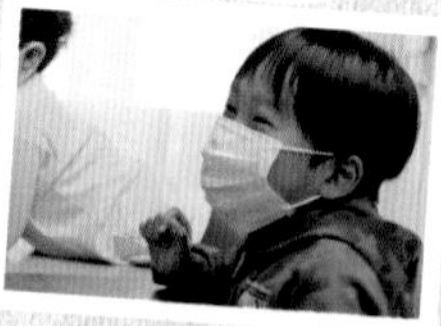

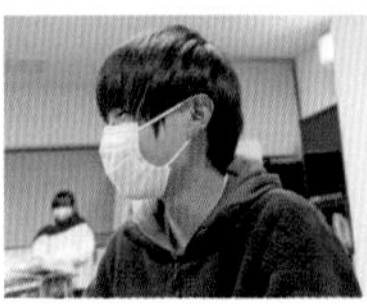

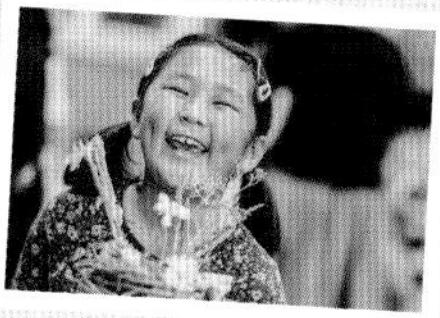

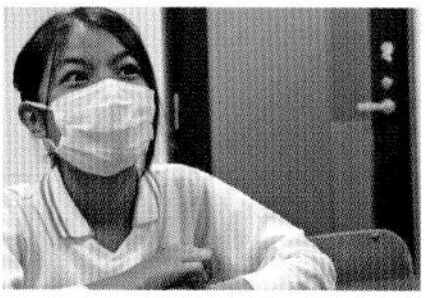

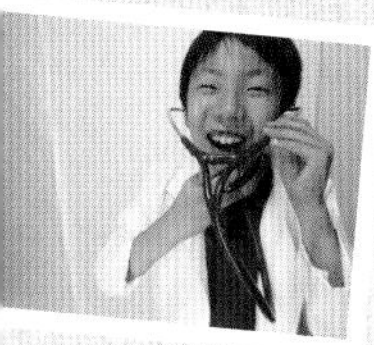

あけましておめでとう!

【著者】

高橋 惇（たかはし・じゅん）

1989年、広島県生まれ。神戸大学発達科学部卒。中学校・高等学校教諭一種免許状（国語）保持。ニックネームはじゅんちゃん。

2011年、神戸大4年時に「旅する芸人」として321日間の自転車日本一周に挑戦。大学卒業後、東京でお笑い芸人として活動するも、2年半で挫折。

2015年には「旅する先生プロジェクト」を企画し、474日間かけて2度目の自転車日本一周に挑戦。これまで全国の小中高大で200回以上の講演。合計7000人以上の子どもたちに現在進行形で挑戦する姿勢を示し、「一歩ふみだす勇気」を届ける。

2017年、旅で学んだことの集大成として兵庫県神戸市に「イドミィ」開校。

2018年、一般社団法人イドミィ代表理事。

一般社団法人イドミィ
〒650-0011
兵庫県神戸市中央区下山手通 7-6-15 広狩ビル 101
HP：http://ido-my.com
講演会依頼等のお問い合わせはこちら
Mail：info@ido-my.com

一歩ふみだす勇気

2021年 3月25日　初版第1刷発行

著　　者　高橋惇
発 行 人　高橋武男
発 行 所　スタブロブックス株式会社
〒673-1446兵庫県加東市上田603-2
TEL 0795-20-6719　FAX 0795-20-3613
info@stablobooks.co.jp
https://stablobooks.co.jp

印刷・製本　シナノ印刷株式会社

ISBN978-4-910371-01-6 C0037　定価はカバーに表示してあります。

落丁・乱丁本がございましたらお取り替えいたします。